Skinny Skits

Short and Simple Funny Skits for Beginning Spanish Speakers

Patti Lozano

Dolo Publications

First Printing 2006
Printed in the United States of America
ISBN 0-9708861-7-9

Dolo Publications, Inc.
18315 Spruce Creek Drive
Houston, Texas 77084
Toll Free: 1-800-830-1460
fax: (281)679-9092 or (281)463-4808
Email: orders@dololanguages.com or plozano@sbcglobal.net
www.dololanguages.com

Acknowledgments

Special thanks to Patricia Anton, Dolores Sandoval, Belinda Contreras de Bath and Renate Donovan for the challenging job of combing through this manuscript for my obvious mistakes, and my cleverly hidden typos as well, and for their excellent suggestions and corrections.

Thank you to Susan Schweizerhof for her computer knowledge. I'm so relieved that I can always go to her with my questions and little emergencies.

The beautiful tropical drama masks on the front cover were created by high school senior, Caitlin Fredette. Caitlin is now studying studio art at Smith College in Massachusetts.

The masks were then tweaked by Ryan Considine, a high school junior, whose talent with computer graphics astounds me. The front and back cover page design was also created by Ryan.

The illustrations featured in each skit are drawn by the author.

Other works by Patti Lozano
(Published by Dolo Publications, Inc.)

Music That Teaches Spanish!
More Music That Teaches Spanish!
Leyendas con canciones
Mighty Mini-Plays for the Spanish Classroom
Mighty Mini-Plays for the French Classroom
Mighty Mini-Plays for the German Classroom
Mighty Mini-Plays for the ESL Classroom
Music That Teaches English!
Music That Teaches French!
Music That Teaches German!
Get Them Talking!
Spanish Grammar Swings!
French Grammar Swings!
Teatro de Cuentos de Hadas
Latin American Legends: on Page, on Stage & in Song

Contents

Introduction

Learning a second language inherently means lengthy fundamental vocabulary lists, substantial verb conjugation drills and prosaic exercises in order to bring all the components of a language together. Although necessary, there is no reason for this procedure to be boring. Instead of endless exercises, why not make the vocabulary, conjugation and practice a fun endeavor via the reading and role-playing of funny situational comedy-based skits? You'll awaken much more student interest and enthusiasm in your content-based lesson, and therefore, students will achieve much higher retention of language objectives. This, then, is the basic lighthearted premise of **Skinny Skits**.

Those of you who have worked and played with the author at teacher trainings and workshops know that this is also her foundational credo. *"Make it fun and they will come."* Making language learning fun just makes it easier on everyone. It makes the teacher look forward to getting up in the morning to go and mold inquisitive (and sometimes reluctant) young minds. "Fun" makes students look forward to Spanish class. "Fun" makes them speak in Spanish on the bus on the way home, and "fun" makes them sing it and practice it with their friends. "Fun" even makes them remember to share it with their families over dinner. It is the "fun" in the lesson that makes students review the information given to them that day or week, and to remember it, manipulate it, and use it over the course of a lifetime.

Skinny Skits

Skinny Skits examines fifteen content units that are universal to all beginning Spanish curriculums. The units, which in this book are referred to as "Acts," include:

1. *¿Cómo estás?* (introductions)
2. *El alfabeto* (alphabet)
3. *La clase* (classroom and school)
4. *Los números* (numbers and counting)
5. *Los colores* (colors)
6. *"Tener" expressions* (expressing feelings)
7. *Las partes del cuerpo* (body parts)
8. *¿Qué tiempo hace?* (weather)
9. *Los meses y las estaciones* (months and seasons)
10. *La familia* (family)
11. *La ropa* (clothing)
12. *Los cuartos y los muebles* (rooms and furniture)
13. *La fruta* (fruit)
14. *La comida* (food)
15. *La hora y la rutina* (telling time and daily routine)

Each "Act" contains three skits. Skit A is the shortest and simplest. Skit B is often a bit longer and slightly more complex. Skit C is usually still somewhat longer, and tends to unite content objectives, vocabulary and structures within a more complex dialogue and/or plot. Each skit deals with totally new characters and a new situation. Most skits when performed are between three and six minutes long. The skits are shorter and simpler in the first half of the book, and grow slightly in performance length and complexity as students build dialogue and storyline upon both new and previously learned vocabulary.

All skits are written in present tense so that first year Spanish students may understand, enjoy and perform these skits with success and limited teacher input. Very occasionally, for the sake of the plot, a line or two must be delivered in past, imperfect, conditional or future tenses. The dialogues are purposely repetitive, but, because of the manner in which they are woven into the storylines, will not seem so.

About the plots

Think of the mini-plots and developments in **Skinny Skits** as very, very short sit-coms (situational comedies.) Most are funny and have a twist at the end. Most involve situational irony; they capitalize on the humor one finds in the daily nuisances that everyone encounters with people and predicaments in today's society. A few are sweet rather than funny, most notably, *"La sopa de Don Alfonso"* and *"La alfombra nueva".*

A few of the skits were inspired by personal experiences. *"Avena"* is an oft-recounted family anecdote involving the author's then 6-year old son and a dreaded bowl of oatmeal. *"Como cuidar a Chícharo"* is an amazingly accurate re-enactment of the detailed instructions the author is issued when taking care of her mother's treasured Schnauzer.

Other skits evolved from an elementary Spanish video series that the author wrote and directed through the 1990s. Each of the 258 television lessons began with a short skit, puppets and invited guests. A couple of these skits were simplified and modified for this book, most notably, *"La Máquina del Tiempo"* and *"¿Qué hay en tu clase?"*

Several skits flesh out songs from the author's popular songbooks, **Music That Teaches Spanish!** and **Spanish Grammar Swings!** For example, *"La mochila pesada"* is based on the song, *"La mochila."* The skit, *"Tengo mucha comezón también"* stems from the song, *"Tengo comezón."* The skit, *"Pásame la sal, por favor"* was inspired by the song of the same title, as was the skit *"¡Tienes que levantarte!"* Finally, the skit, *"Tudi, Toño and Angélica"* was prompted by the song, *"Tic Toc".* Each of these skits exploit the same basic vocabulary as the song, plus a bit more. If a teacher is searching for a meaningful and entertaining parent presentation, a sketch from **Skinny Skits** combined with a corresponding song from one of these songbooks/CDs would make an excellent program.

Actually the fifteen content ("Act") topics presented in **Skinny Skits** purposely mirror the instructional units featured in **Music That Teaches Spanish!** These two books together form a wonderful package for inspired classroom learning and enjoyment, and united, comprise a comprehensive and enjoyable basic Spanish I curriculum.

The majority of the skits are essentially wry observations on life – on the little annoying things that assault our sensibilities everyday, and that are not funny at all while they're happening, but later make a great story over dinner. Let's face it; life can be annoying... or funny. We'll all be a lot happier if we can see the humor in life's daily travails and pitfalls, whether they happen at home or at work, and whether we're adults or children. **Skinny Skits** allows us to look at our lives through a magnifying glass and to laugh about what makes us human while we practice communicating in Spanish.

About the Preparation Box

Each skit is preceded by a gray Preparation Box that contains important information about it. Here is a sample box printed from Act 11, Skit C: *"La venta de garaje"*.

Language Objectives:
Vocabulary: *la ropa (los pantalones cortos, la falda de paja, el abrigo, el suéter, las sandalias, la bata, la chaqueta, los calzones)*
Additional Vocabulary: *la venta de garaje, la calidad, la tela, suave*
Structures: *¿Cuánto cuesta ____? Cuesta __ dolares. ¿Qué tal ___ dolares?*
Cast: 3 Actors
LIDIA (who adores garage sales)
MAX (LIDIA's husband, who is tired and wants to go home)
Sra. MONTOYA (the indifferent garage sale hostess)
Duration of performance: approximately 5 minutes
Optional Props/Sets: A long table with a lot of old odds and ends and clothing, plus these specific items: a pair of toddler shorts, a Hawaiian grass skirt, a huge heavy winter coat, a sweater, sandals, an old robe, and seven pairs of dainty little girl panties
Production Notes: LIDIA is beside herself with excitement at her garage sale treasures.
MAX is tired of carrying the bags, he's hot, his back hurts, etc.
Extend the skit by creating roles for additional shoppers, for example the woman who fights over the items with LIDIA, the lady who asks for clothing which is obviously not there, the woman who tries to haggle the price down to nothing, etc.

Let's examine the contents of the Preparation Box.

❖ **Language Objectives** - This section lists the target vocabulary for the upcoming skit, as well as additional vocabulary that is vital for comprehension of the action, humor and punchline. Not all vocabulary words are featured here. English translations do not appear here; English translations for all Spanish vocabulary (target words and otherwise) are found in the glossary in the back of the book. Also, under **"Language Objectives,"** there is a "Structures" section that targets key grammatical patterns, idioms, interjections and exclamations found in the skit.

❖ **Cast:** Each character role is listed and a brief description of age range, gender and personality is given to facilitate casting decisions.

❖ **Duration of performance**: Approximate performance times are given. These are based on readings of the skit without excessive action, slapstick movements, sets or props, which is the way in which classroom skits are performed 70% of the time. Once props, blocking, sets, costumes, *etc.* are added, and skits are performed for a live audience (with the actors pausing their lines for laughter,) the skits run a minute or two longer.

❖ **Optional Props/Sets:** You will use props and/or make sets according to your instructional purpose in presenting the skit. If your class is simply reading the skit together or in small groups, you may just pretend to have the props. If you are presenting for other classes or for parents, you will want to bring or make some props, costumes and/or simple sets. If you do buy props, try these excellent and inexpensive resources:

* Goodwill and Salvation Army stores. Hats, shoes, vests, dresses, scarves, pants, purses... cost between $1. and $5. I've made great minimalist animal costumes by purchasing a set of plastic hair bands from a discount store, then detaching the ears of a $1. plush animal which I then hot glue to the hair band. (I've also acquired some wonderful tails from hapless plush animals.)

* Garage sales

* Attics and cellars

* Dollar Stores. Dollar stores are treasure troves for the resourceful teacher. In the author's words, *"Recently I spent a very nice day working with students and teachers in Brevard County, Florida. The day before I left Houston to go there, I decided I was going to want the kids to act out a Colombian legend called "El hombre caimán" from my book, **Latin American Legends**, in which a love-struck young man transforms himself into a crocodile every afternoon to swim across the treacherous river to visit his sweetheart. On a whim, I stopped at the Dollar Tree store, thinking that perhaps I could find a pair of garden gloves that I could transform into claws that the young actor could quickly slip on every time he needed to portray the crocodile. I stood in that store and actually laughed out loud, because there, in the seasonal swimming toy section, were plastic webbed crocodile paws, both front and back, as well as very odd and intriguing crocodile masks! I bought every set – you just can't have too many crocodile paws!"*

It is advantageous to add a critical thinking component to creative drama. When students break into small groups to rehearse and practice a skit, try giving each group of kids an identical generic item to transform into any prop they need the most. Favorite give-aways are large pipe cleaners, paper plates and fabric remnants. In this way, a paper plate may become a platter, a giant mouth with fangs, a bonnet, a fan, a flower, a microphone, a photo, a purse, a mask, a baby, the sun or a basketball.

❖ **Production Notes:** Anything that still needs to be said is found in this section. There might be a bit more insight as to a character's personality or motivation. There are production suggestions and ideas on how to extend the playlet to reinforce additional vocabulary, add more characters, "thicken" the plot or lengthen the performance time of the skit.

Reader's Theater

Reader's Theater is a concept that has taken ESL and bilingual classes by storm for the last few years. In 2001 the National Reading Panel recognized reading fluency as an essential element in elementary and middle school reading programs. The panel suggested that readers develop fluency through guided practice or repeated readings by reading a text selection several times to the point where it can be expressed meaningfully, with appropriate expression and phrasing. Reader's Theater selections include poetry, tongue twisters, monologues, literary excerpts – and scripts. Through repeated script readings, students learn to use their voices and vocal inflections to interpret and alter the meaning of dialogues. In reading a script, students manipulate their voices to make their characters express joy, sadness, anger, surprise, confusion, tenderness and other universal human emotions. And because the **Skinny Skits** scripts are humorous, students enjoy reading them over numerous times. Whether your students are learning Spanish as a first or a second language, multiple renditions of the skits will aid students in reading fluency and comprehension, as well as enjoyment of self-expression and confidence in public speaking.

Rehearsing

Class time is utilized most efficiently when new grammar concepts and target vocabulary are introduced quickly, succinctly and seriously, with just enough examples and drills to ascertain that students understand the concept. Then the group moves on to the fun stuff – the songs, games and role-play – that makes kids love, learn and retain the language. If students continue to struggle with the new material, the teacher returns briefly to review it. Here is a general skit rehearsal procedure that has proven to work well with classes.

1. Introduce and practice unfamiliar target vocabulary and structures, especially those that are listed in the shaded Preparation Box that precedes the skit. Try not to translate words into English; instead use a variety of methods to introduce new concepts, including flash cards, vocabulary cards, realia, gestures and stick illustrations drawn on the board.

2. Play a couple of pre-production games or activities to practice any new vocabulary and/or concepts. A useful selection of these games are explained on pages 7 - 10.

3. Read the skit together as a large group, with the teacher taking the lead role. When the teacher assumes the lead role (for the initial reading only,) the correct tone and pacing for the skit is set for later re-enactments. Read expressively! Read with excessive dramatic flair because the kids will take their cues from you. If you read in a monotone, the skit will die.

4. Optional: read the skit a second time with a student volunteer now taking the lead role.

5. Divide the students into small groups. All groups practice the same skit. Rarely will the number of students match exactly the number of roles in the skit, so at this point, brainstorm with each ensemble; a group that has too few kids must decide which student(s) will enact double roles. A group with excess students must create a quirky extra character or two. Brainstorm these new characters' motivations, thoughts and possible lines because someone will have to insert and improvise these utterances.

6. Small groups sit in circles to practice their skits several times. By the third time, encourage them to "block" their actions and maybe to add a few simple props that are readily available. Use chairs as sofas, arrange blankets, sheets or towels as beds and fancy clothes. Have paper plates, pipe cleaners and fabric samples on hand to use as needed for props.

7. Have groups perform the skit for each other. This is the perfect ending for your skit experience, and an evaluation opportunity as well. The performers demonstrate their understanding of the material, while the audience listens to the new vocabulary and structures in the context of review and reinforcement of instructional objectives. (The students don't care about instructional objectives, of course, they just want to watch their peers perform!)

IMPORTANT! Students do not need to memorize their lines completely unless they are actually giving a performance. For class renditions, scripts-in-hand is perfectly fine. You may choose to have students make cue cards. In fact, according to Bloom's Taxonomy, memorization falls into the lowest level of intellectual behavior. Dramatization however, fits into Level 3, the "application" of knowledge. But improvisation takes the cake! Improvisation requires synthesis of information, almost the highest level of Bloom's Taxonomy. "Synthesis" means the ability to arrange, assemble, collect, compose, construct, create, design and develop that knowledge. So...ad libbing the script is great!

When creative drama endeavors are a new classroom experience, it is important to ease kids gently into acting. Some students take to it right away – and your theater, speech and music kids will be in Spanish class heaven. Students who find it more difficult to read aloud, express their feelings and be in the spotlight would benefit from some pre-production games and exercises. These activities help kids to enjoy speaking out loud, develop self-confidence in social situations and help to ensure enjoyment of the upcoming skit. They minimize anxiety about performing, thereby allowing the student to concentrate on the meaning of the dialogues and actions in the skit. Below are a few favorites. More can be found in Patti Lozano's resource book, **Get Them Talking!**

❖ I'm Impatient!

Materials & Preparation: None
Players & Arrangement: The entire class in any seating arrangement

Procedure:
1. The teacher loudly announces any particular feeling in a short sentence, *(i.e. "¡Estoy impaciente!" "¡Estoy contento(a)!" or "¡Estoy enojado(a)!")*
2. The students repeat the announcement in unison, after which the first student stands up to demonstrate one manner of portraying this feeling for about three seconds, then sits down.
3. Continue the procedure with students up and down rows of desks or around the circle: the class reiterates the phrase, then the next student in line role-plays a *different* way of portraying that same emotion.
4. When students exhaust their awareness of ways to portray a particular emotion, the teacher announces a new emotion and the game continues, starting with the next student in line.

❖ Camina así

Materials & Preparation: A list of adverbs and descriptors in hand; also a whistle or a bell
Players & Arrangement: Full class milling around the room; younger students might form a circle
Procedure:
1. Have a prepared list of adverbs and descriptors in hand as you instruct students to walk normally around the room.
2. Instruct them to listen closely because when they hear the noisemaker they freeze and listen as you tell them to portray a specific feeling or manner of being in their walk.

despacio	impacientemente	como una anciana
dolorosamente	como un bebé	como un rey o una reina
rápido	fuertemente	con mucho frío
tristemente	furiosamente	como andar en el lodo
alegremente	como un pordiosero	como un jugador de fútbol
cuidadosamente	como un monstruo	como un elefante

❖ Doll Maker

Materials & Preparation: None
Players & Arrangement: Full class in pairs spead out around the room
Procedure:
1. Student A is the "doll maker". Student B is the doll. Student A arranges Student B into a comfortable position that the doll can maintain without moving (kind of like a Raggedy Ann doll.) The doll shows no emotion.
2. The doll maker gives the doll a name and decides how his doll is feeling. For example, he says, *"Tu nombre es Tipi y tienes hambre."* At that moment the doll changes position and expression to reflect hunger.
3. The doll maker may also pull a string on the back of the doll's neck, causing the doll to say, in a plaintive dolly kind of voice, *"¡Tengo hambre!"*
4. After five positions and emotions, the doll maker and doll trade roles.
5. Extension: All the dolls may sit in the doll store, maintaining a certain position and emotion. "Mothers" and children may then visit the store and talk about the dolls, what they're wearing and how they feel. Example: *"Me gusta esta muñeca. Tiene un vestido rojo. ¡Pobrecita! Tiene sueño."*

❖ The Exchange Game

Materials & Preparation: Two identical sets of vocabulary cards from the content area (i.e. weather, fruit, clothing, food, *etc.*)
Players & Arrangement: Class in two teams lined up as if to play "Red Rover". Each team has a set of vocabulary cards, one card per student.
Procedure:
1. The teacher says the phrase or word pertaining to one card, for example *"la manzana"* or *"Hace frío."*
2. The student from each team who has this card walks to the center of the room where the two meet and have a very short (one line each) improvisational dialogue that relates to their card. For example, if the word is *"la manzana,"* Student A might say, *"Mi manzana es roja."* "Student B might answer, *"Mi manzana es verde."* If the phrase is, *"Hace frío,"* Student A might say, *"Quiero mi abrigo"* and Student B might respond *"Siempre hace mucho frío en Alaska."*
3. The two students then say goodbye and each continues to the other team's side. At the end of the game, the two teams have completely switched sides of the room.

❖ The Game of Eight

Materials & Preparation: None
Players & Arrangement: Full class in a circle with "IT" in the middle
Procedure:
1. "IT's" eyes are closed as students start passing any small item around (a rock, an eraser, a bean bag, etc.) the circle. At some point, "IT" says, *"¡Alto!"* Whoever has the item at that moment keeps it.
2. The person who has the item now names a category, i.e. food, months, colors, animals, etc.
3. The kids in the circle count to 10 (in Spanish) and begin passing the item around again. "IT" must name eight items in that category before the item goes full circle. "If successful, "IT" names the next person to go to the center.

❖ Insisto

Materials & Preparation: A class set of various two-line dialogues that express disagreement
Players & Arrangement: Full class in pairs
Procedure:
1. Instruct each pair of students to pick a slip of paper that contains the two-line dialogue from a bag.
2. The pairs of students face each other and say the short two-line dialogue repeatedly to each other, always varying emotion, inflection, tone and gestures, trying to convince the partner that he or she is right!

> Samples of 2-line conflict dialogues:
>
> Student A: *Saca la basura.*
> Student B: *No, no tengo tiempo.*
>
> Student A: *Mira. ¡Qué chulo es el gato!*
> Student B: *No me gustan los gatos.*

❖ Alphabet with Attitudes

Materials & Preparation: None
Players & Arrangement: The entire class in pairs
Procedure:
1. Pair the students and send each to their own special spot in the classroom where they stand or sit, facing each other.
2. Each pair chooses two conflicting attitudes, for example *"feliz/triste," "enojado/deprimido," "cansado/emocionado,"* or *"cruel/amable."* They name the two attitudes in the target language.
3. They now begin to take turns to expressively recite the alphabet,both with the same attitude and feeling. Slowly, almost imperceptibly, as the alphabet continues, the pair's attitude begins to change to the conflicting one. By the end of the alphabet, still taking turns while naming the letters, they are speaking entirely in the opposite attitude!

❖ The Professor Game

Materials & Preparation: None
Players & Arrangement: Seven students in a row in front of the room; the rest at their seats
Procedure:
1. Choose seven students to form a row or half circle in the front of the room. These seven students form the body of the "professor" and will answer questions members of the class pose to "him" (them).
2. The rest of the class composes questions, either orally or written. One student raises his hand and asks the "professor" a question, such as, *"¿De qué color es el conejo?"*
3. The professor proceeds to answer. Each person only gets to say one word in the sentence, i.e. Student A says, *"El,"* Student B says, *"conejo,"* Student C says, *"es,"* and Student D says, *"blanco,"* Student E says, *"y,"* Student F says, *"negro"* and Student G says, *"punto"* [period].

   This game is so much fun because no one knows where the sentence is going to go, but it is instructionally valid because it demonstrates the importance and placement of every word in a sentence.

❖ Long Numbers

Materials & Preparation: Write a number on the board that has between 10 and 36 digits. Students need pencils and scratch paper.

Players & Arrangement: The class seated at their desks

Procedure:
1. Display the long number on the board and create a story for the students that uses those digits in that order, but in any grouping. For example, the number is 181572047272. Your story is, *"Hay 18 estudiantes en la cafetería. 15 alumnos comen sándwiches de atún. 7 alunmos no quieren tomar su leche. Hay 20 sillas en la cafetería y hay 4 mesas largas. Hay 72 maestras en la escuela y cada mañana toman 72 tazas de café."*
2. Now write a different number on the board. Start with a fairly short number. Ask each student to write their own story using groupings of the digits.
3. Give them time to memorize their stories.
4. Choose volunteers to recite their stories to the class, with their backs to the number on the board. How many can remember the entire number in the correct order?

❖ Flash card Post-it Game

Materials & Preparation: A class set of flash cards or magazine pictures, a class set of Post-it Pads (ideally one color per student) and black pens or markers

Players & Arrangement: The entire class at their desks

Procedure:
1. Do not display the flash cards or magazine pictures. Give each student a Post-it pad and a marker. Ask them to write words from various parts-of-speech categories, one word per card. For example, the rubric may state, *"8 nouns, 8 adjectives, 8 verbs."*
2. Now display the class set of flash cards or magazine pictures.
3. Students race to attach their Post-it papers on the pictures that correspond best to their words.
4. Each student chooses one flash card with attached Post-its. Each creates a sentence or paragraph that features the object or scene on their card and uses all the attached Post-it words.

❖ Who's Your Leader?

Materials & Preparation: None

Players & Arrangement: The entire class, seated in a circle

Procedure:
1. Choose a volunteer to be "It" and ask him to leave the room.
2. The students in the circle choose a Leader, who starts chanting a word or simple sentence, for example:*"Amarillo... amarillo... amarillo... amarillo..."* or *"El sol es amarillo... el sol es amarillo..."*
3. The students in the circle listen carefully to quickly follow the example and chant along with the Leader.
4. "It" returns to the room and stands in the middle of the circle.. "It" slowly turns around and tries to determine who is the leader. Meanwhile the Leader occasionally changes the words or sentences (i.e. change *"El sol es amarillo." to "El cielo es azul.")* The students make the change as well.
5. When "It" identifies the Leader, choose new students to be Leader and "It."

The Skits

Act 1: ¿Cómo estás?

Skit A: Estoy muy bien

Language Objectives:
Vocabulary: Greetings
Structures: *¿Cómo estás? Estoy muy bien. Estás muy mal.*

Cast: 2 Actors
ELOISA (who has a bad cold)
MARTA (ELOISA's concerned friend)

Duration of performance: approximately 1 minute

Optional Props/Sets: facial tissues

Production Notes: This simple skit will be lots of fun if ELOISA overdoes the coughing, sneezing and sniffling.

Estoy muy bien

[ELOISA enters. She looks miserable. She is holding a tissue to her nose, and is coughing, sniffling and sneezing.]

MARTA: Buenos días, Eloisa. ¿Cómo estás?

ELOISA *(Coughing, sniffling and sneezing):* Muy bien, Marta. ¿Cómo estás tú?

MARTA: Yo estoy muy bien, pero Eloisa... ¿Estás bien?

ELOISA: Sí, estoy muy bien, gracias. *(Sneezes)* Excelente.

MARTA: Eloisa, no estás muy bien. No estás más o menos. Eloisa, tú estás muy, muy mal. ¡Tú estás enferma!

ELOISA: O sí, yo sé. Estoy muy enferma. *(Coughs loudly)* Estoy muy mal. Pero ahora tengo una cita con el médico, y es por eso que estoy muy bien.

Act 1: ¿Cómo estás?

Skit B: ¿Cómo te llamas?

Language Objectives:
Vocabulary: Greetings
Structures: *¿Cómo te llamas? Me llamo____.*

Cast: 7 Actors
PANCHO (the "new" guy)
MEMO (the group president)
ANA, SOFÍA, CAMILO, ROBERTO, MAGDALENA (friendly group members).

Duration of performance: approximately 1½ minutes

Optional Props/Sets: chairs placed in a large half-circle

Production Notes: You may lengthen this skit by adding more characters who announce their rhyming names. Students could later write a parallel skit that takes place in *el Salón 5* in which *"Las Personas con nombres famosos"* greet a confused visitor with a rhyming name.

Skit B: ¿Cómo te llamas?

[Pancho enters a meeting room shyly, looking at a slip of paper in his hand. The class of six students, sitting in chairs in a half circle, greets him enthusiastically.]

PANCHO *(Hesitantly):*
Buenas tardes.

TODOS *(Enthusiastically):*
¡Buenas tardes!

ANA: ¿Cómo te llamas?

PANCHO: Me llamo Pancho.

ANA: ¿Pancho... Ancho?

PANCHO: No...

SOFÍA: ¿Pancho Zafarrancho?

PANCHO: No...

CAMILO: ¿Pancho Gancho?

PANCHO: No...

MEMO: ¡Pues, bienvenido, Pancho!

PANCHO: Gracias.

MEMO: Soy el presidente del grupo. Me llamo Memo. Memo Supremo. Mucho gusto en conocerte.

ANA: Hola. Mi nombre es Ana. Ana Banana.

SOFÍA: Y yo soy Sofía. Sofía Alegría. Mucho gusto.

CAMILO: Buenas tardes. Yo me llamo Camilo.

PANCHO: ¿Camilo....?

ROBERTO: Camilo Cocodrilo.

MAGDALENA: Hola. Mi nombre es muy largo. Mi nombre es Magdalena Elena Nochebuena Cadena Hierbabuena. ¿Cómo te llamas tú?

PANCHO: Pues, me llamo Pancho. Pancho Villa.

TODOS *(Gasp in surprise)* ¡No!

MEMO: Ay, Pancho, estás en el Salón número 3. Somos el grupo: Personas con Nombres que Riman. El grupo de Personas con Nombres Famosos está en el Salón número 5.

PANCHO: ¡Ay caray! Gracias. Discúlpenme. Adiós.

TODOS: Adiós, Pancho Villa. ¡Buena suerte!

Act 1: ¿Cómo estás?
Skit C: ¿Médico o presidente?

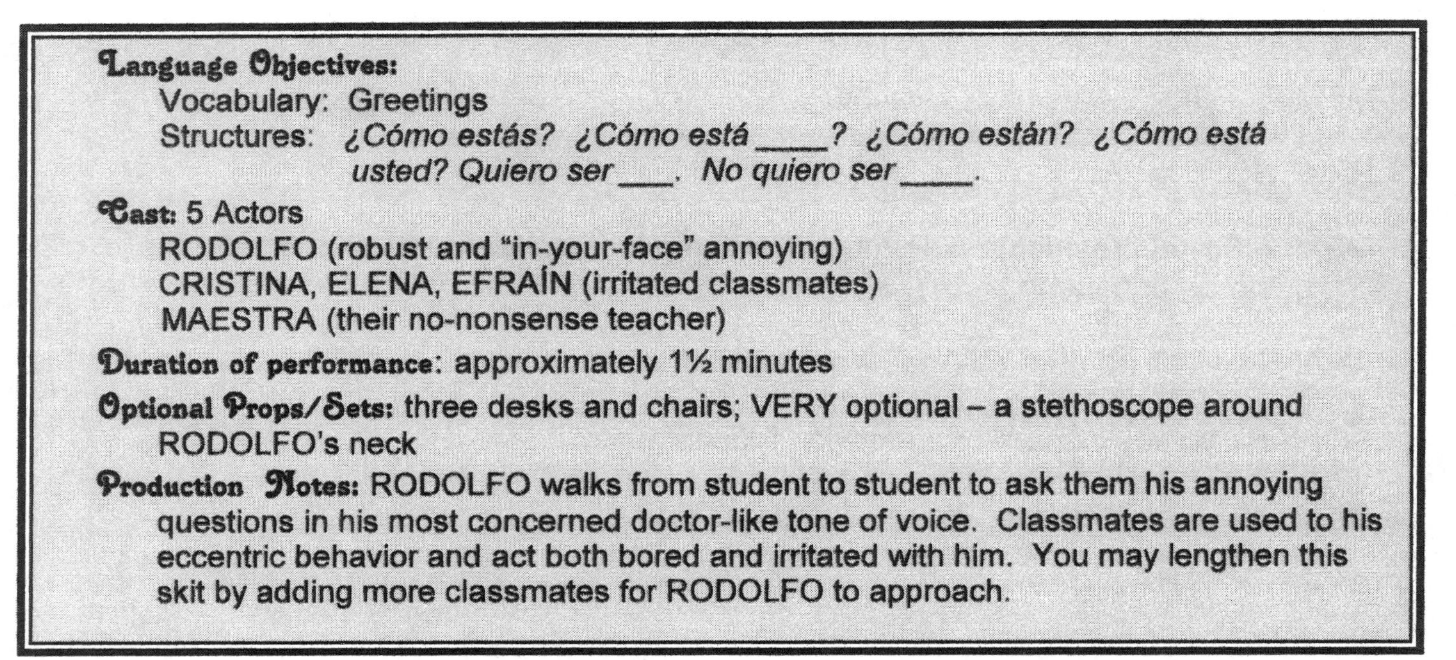

Language Objectives:
Vocabulary: Greetings
Structures: *¿Cómo estás? ¿Cómo está ____? ¿Cómo están? ¿Cómo está usted? Quiero ser ____. No quiero ser ____.*

Cast: 5 Actors
RODOLFO (robust and "in-your-face" annoying)
CRISTINA, ELENA, EFRAÍN (irritated classmates)
MAESTRA (their no-nonsense teacher)

Duration of performance: approximately 1½ minutes

Optional Props/Sets: three desks and chairs; VERY optional – a stethoscope around RODOLFO's neck

Production Notes: RODOLFO walks from student to student to ask them his annoying questions in his most concerned doctor-like tone of voice. Classmates are used to his eccentric behavior and act both bored and irritated with him. You may lengthen this skit by adding more classmates for RODOLFO to approach.

Skit C: ¿Médico o presidente?

[RODOLFO is bothering his teacher and classmates with annoying questions.]

RODOLFO: Buenos días, Cristina. ¿Cómo estás?

CRISTINA: Bien, Rodolfo. ¿Por qué?

RODOLFO: ¿Y cómo está tu pierna hoy?

CRISTINA: Bien. Déjame en paz, Rodolfo.

RODOLFO: ¡Elena! ¡Hola! ¿Cómo estás hoy?

ELENA: Bien, Rodolfo.

RODOLFO: ¿Y cómo está tu cabeza hoy?

ELENA: Bien. Vete, Rodolfo.

RODOLFO: ¡Efraín, mi amigo! ¿Cómo estás?

EFRAÍN: Más o menos.

RODOLFO: ¿Amigo, cómo está tu estómago hoy?

EFRAÍN *(Complaining to the teacher):* ¡Maestra!

RODOLFO: Maestra, buenos días. ¿Cómo está usted hoy?

MAESTRA: Bien, Rodolfo.

RODOLFO: ¿Y maestra, cómo están sus ojos hoy?

MAESTRA *(In a warning tone):* ¡Rodolfo!

RODOLFO: Maestra, quiero ser médico. Necesito practicar. Necesito hablar con mis pacientes.

MAESTRA: Muy bien, Rodolfo, pero ahora no eres médico. Eres un estudiante.

RODOLFO *(Sighs):* Está bien, maestra. *(There is a long peaceful pause as Rodolfo thinks this over. Then in a jovial voice he heartily shakes each friend's hand.)* ¡Buenos días, Cristina! ¿Cómo estás? ¡Buenos días, Elena! ¿Cómo estás tú? ¡Buenos días, Efraín! ¿Cómo estás?

MAESTRA *(Very annoyed now):* ¡Rodolfo!

RODOLFO: Maestra, ya no quiero ser médico.

MAESTRA: ¡Qué bueno!

RODOLFO: Quiero ser presidente de los Estados Unidos... ¡y necesito practicar!

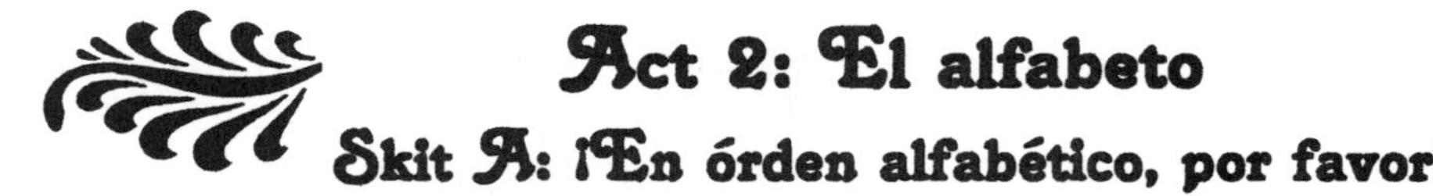

Act 2: El alfabeto
Skit A: ¡En órden alfabético, por favor!

Language Objectives:
Vocabulary: el alfabeto
Structures: *¡En órden alfabético! Mi nombre es _______. Mi apellido es _____.*
¡No es justo!

Cast: 5 Actors
MAESTRA
ANDRÉS, BENJAMÍN, CARLOTA (happy and enthusiastic students)
VICTOR (the whiny protagonist)

Duration of performance: approximately 2 minutes

Optional Props/Sets: Name cards as depicted in skit illustration, teacher ***may*** have a clipboard and pen

Production Notes: When students are spelling their names and the names have written accent marks, you may want to add "*... É con accento...*" You may certainly lengthen this skit by adding more classmates with names that begin with letters following "C" and before "V". Victor must be whiny!

¡En órden alfabético, por favor!

[Life can be frustrating if your name begins with a letter at the end of the alphabet.]

MAESTRA: ¡Niños, formen una linea! ¡En órden alfabético, por favor!

ANDRÉS: ¡Mi nombre es Andrés! A - N - D - R - É - S.

BENJAMÍN: ¡Mi nombre es Benjamín! B - E - N - J - A - M - Í - N.

CARLOTA: ¡Yo soy Carlota! C - A - R - L - O - T - A.

VICTOR: ¡Mi nombre es Victor! V - I - C - T - O - R.

MAESTRA: Victor, en órden alfabético, por favor. Tú no estás allí. Primero viene Diego, y luego viene Florencia, Norma y Rebeca.

VICTOR *(Complaining, almost crying):* Pero, maestra. Yo ***siempre*** estoy al último. ¡No es justo!

MAESTRA: Está bien, está bien. *(Thinks for a moment)* ¡Niños, formen otra línea! En órden alfabético de sus ***apellidos***, por favor!

ANDRÉS: ¡Mi apellido es Barrera! B - A - RR - E - R - A.

BENJAMÍN: ¡Mi apellido es Franco! F - R- A - N - C - O.

CARLOTA: ¡Mi apellido es Guzmán! G - U - Z - M - Á - N.

[VICTOR is heard sobbing piteously.]

MAESTRA: ¿Victor, qué pasa ahora?

VICTOR: Maestra, no estoy contento. ¡Esto es peor!

MAESTRA: ¿Por qué, Victor?

VICTOR: Mi nombre es Victor... y mi apellido es Zapata. ¡Z - A - P - A - T - A!

Act 2: El alfabeto
Skit 3: Miguel es muy G - U - A - P - O

Language Objectives:

Vocabulary: el alfabeto, personal descriptions (i.e. *guapo, inteligente, musculoso, feo, limpio, suave*), the verb *deletrear* [to spell]

Structures: *¡Mira! Es muy guapo.*

Cast: 3 Actors

BETINA (love-struck over Miguel, the more talkative of the two girls)

CONSUELO (also love-struck, tends to copy and agree with BETINA)

NORBERTO (the girls' somewhat nerdy friend, who doesn't understand the commotion that MIGUEL's appearance causes)

Duration of performance: approximately 2 minutes

Optional Props/Sets: None

Production Notes: MIGUEL never actually appears in this skit! The actors must decide where he "is". The girls must often look MIGUEL's way with giddy adoration while NORBERTO stares at him with bafflement. Feel free to lengthen this skit in several ways, such as:

1) Have the girls elaborate further upon MIGUEL's charms (i.e. his *P-I-E-L*, his *B-O-C-A*, his *D-I-E-N-T-E-S*, his new *T-E-L-É-F-O-N-O C-E-L-U-L-A-R* and so on).

2) Add a third lovestruck girlfriend - perhaps one who misspells everything!

Miguel es muy G - U - A - P - O

[Betina, Consuelo and Norberto are eating lunch when Miguel appears.]

BETINA *(In a loud whisper):* ¡Consuelo, aqui viene M - I - G - U - E - L!

CONSUELO *(With a gasp):* ¡Miguel!

NORBERTO *(Disinterested):* Sí, aqui viene Miguel... ¿Y qué?

BETINA and CONSUELO: Shhhh!

BETINA *(Still whispering):* Miguel es muy G - U - A - P - O.

CONSUELO: Sí. ¡Muy guapo!

NORBERTO *(Looking critically at Miguel):* ¿Es guapo? ¿Miguel es guapo? Yo creo que Miguel es feo.

BETINA and CONSUELO: Shhhh!

BETINA: ¡Aquí viene! ¡Ay, sus O - J - O - S son tan hermosos!

CONSUELO: Y su P - E - L - O. Quiero tocar su P - E - L - O.

BETINA: Sí. Es muy limpio y S -U - A - V- E.,

NORBERTO *(Scoffs):* Yo no. Yo no quiero tocar el pelo de Miguel.

BETINA and CONSUELO: Shhhh!

BETINA: Mira. Miguel es muy M - U - S - C - U - L - O - S - O.

CONSUELO: Sí.

NORBERTO: ¿Es qué?

CONSUELO: Miguel es muy M - U - S - C - U - L - O - S - O.

NORBERTO *(Spells to himself):* Entiendo. Miguel es musculoso. *(Scoffs)* No, Miguel no es tan musculoso. Mira. Yo soy más musculoso que Miguel. *(He flexes his muscles)*

BETINA and CONSUELO: Shhhh!

BETINA: Consuelo, mira. Hoy Miguel tiene Z - A - P - A - T - O - S de B - A - S - Q - U - E - T - B O - L nuevos.

NORBERTO: ¿Tiene nuevos qué? ¡Ay, esto es muy difícil! ¿Por qué no hablan ustedes? ¿Por qué deletrean todo?

BETINA: Pues, admiramos a Miguel porque es muy guapo.

CONSUELO: Sí, Miguel es ***muy*** guapo... pero no es muy inteligente. Miguel no nos entiende...¡porque Miguel no sabe deletrear nada!

Act 2: El alfabeto

Skit C: ¿"B" de burro o "V" de vaca?

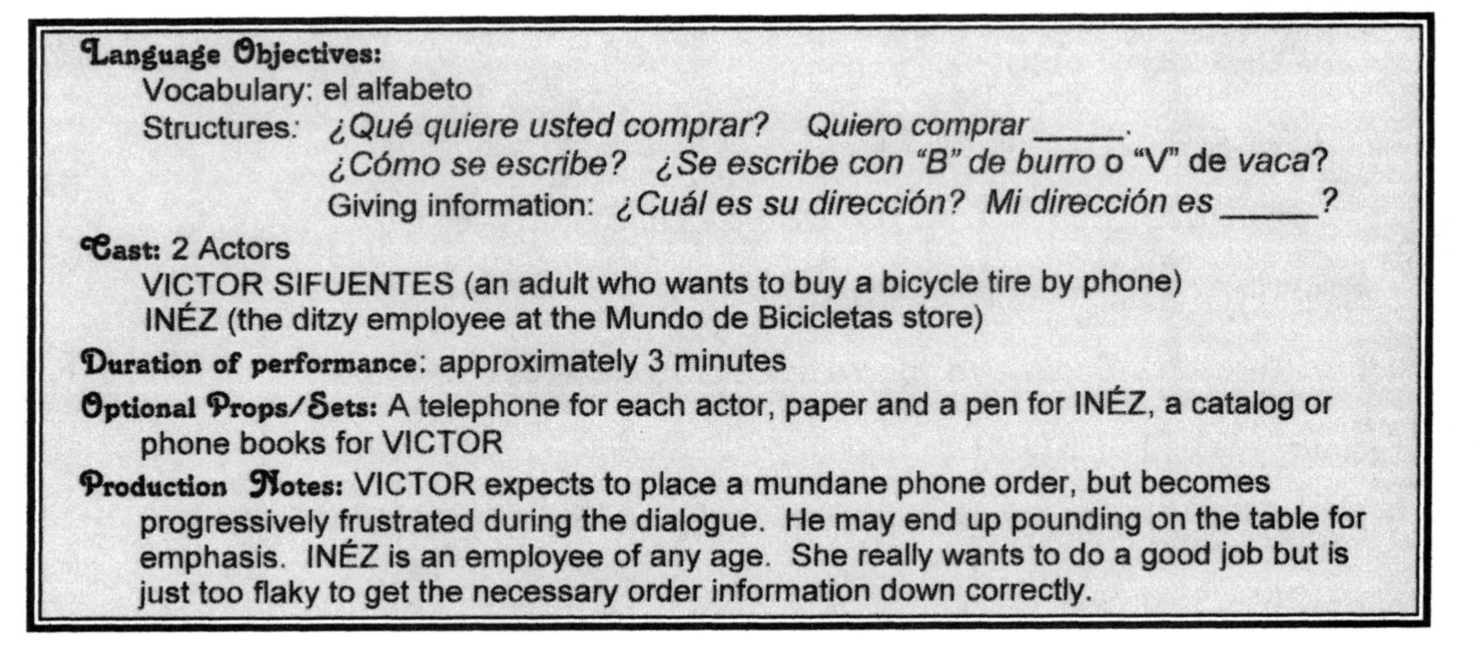

Language Objectives:

Vocabulary: el alfabeto

Structures: *¿Qué quiere usted comprar?* *Quiero comprar _____.*

¿Cómo se escribe? *¿Se escribe con "B" de burro* o "V" de *vaca?*

Giving information: *¿Cuál es su dirección?* *Mi dirección es _____?*

Cast: 2 Actors

VICTOR SIFUENTES (an adult who wants to buy a bicycle tire by phone)

INÉZ (the ditzy employee at the Mundo de Bicicletas store)

Duration of performance: approximately 3 minutes

Optional Props/Sets: A telephone for each actor, paper and a pen for INÉZ, a catalog or phone books for VICTOR

Production Notes: VICTOR expects to place a mundane phone order, but becomes progressively frustrated during the dialogue. He may end up pounding on the table for emphasis. INÉZ is an employee of any age. She really wants to do a good job but is just too flaky to get the necessary order information down correctly.

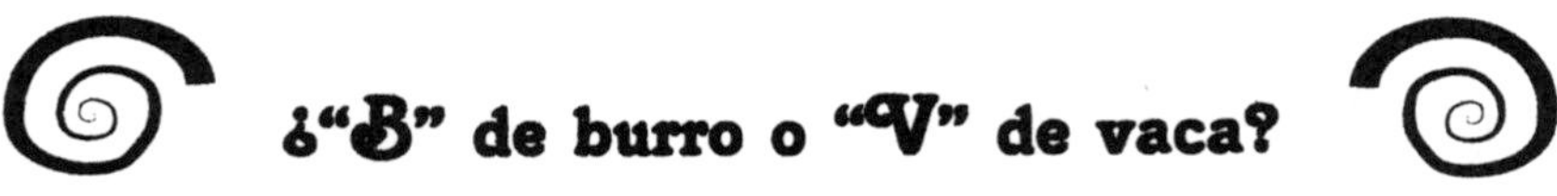

¿"B" de burro o "V" de vaca?

[VICTOR SIFUENTES is trying to order a bicycle tire by phone... with difficulty.]

INÉZ: Buenos días. Mundo de Bicicletas. Habla Inéz Gutierrrez.

VICTOR: Hola. Mi nombre es Victor Sifuentes. ¿Tienen ustedes llantas de bicicletas?

INÉZ: Sí, tenemos una selección excelente de llantas. ¿Quiere comprar una?

VICTOR: Sí, por favor.

INÉZ: Muy bien. Necesito un poco de información.

VICTOR: Muy bien.

INÉZ: ¿Qué quiere usted comprar?

VICTOR: Una llanta.

INÉZ: ¿De bicicleta?

VICTOR: Sí.

INÉZ: ¿Cuántas?

VICTOR: ¿Cuántas qué?

INÉZ: ¿Cuántas llantas de bicicleta quiere usted comprar?

VICTOR *(Perturbed):* ¡Una!

INÉZ *(Speaks slowly as she writes it down):* Una... llanta... de... bici... cleta. Ahora necesito su información personal. ¿Cómo se llama usted?

VICTOR: Me llamo Victor Sifuentes.

INÉZ: ¿Cómo se escribe?

VICTOR: V - I - C - T - O - R.

INÉZ *(Writing):* Victor. ¿Se escribe con "B" de *burro* o "V" de *vaca*?

VICTOR: Con "V" de *vaca*.

INÉZ *(Slowly):* V... I... C... T... O... R. ¿Su nombre es *Victor*? ¿O es *Victoria*?

VICTOR: Es Victor. *(Annoyed)* ¡Mi nombre es Victor! ¡Caramba! Soy hombre.

INÉZ: ¿Su apellido es "Caramba"? Muy bien. *(She writes)* Victor... Caramba. ¿Cómo se escribe "Caramba"? Con "C" de *camello*? ¿O con "K" de *koala*?

VICTOR: ¡No! Mi nombre no es Victor Caramba. ¡Mi nombre es Victor Sifuentes!

INÉZ: Mi nombre es Inéz Pineda... ¿Qué quiere usted?

VICTOR: ¡Quiero comprar una llanta de bicicleta!

INÉZ *(Huffily):* Señor, por favor. No grite. No soy sorda.

VICTOR *(Quietly):* Mi nombre es Victor Sifuentes.

INÉZ: Sifuentes... ¿Se escribe con "S" de *sal*? ¿O con "C" de *círculo*?

VICTOR: Con "S" de sal. S - I - F- U - E - N - T - E - S.

INÉZ *(Writing slowly):* S - I - F- U - E - N - T - E - S. Victor... Sifuentes. ¿Cuál es su dirección, Victor Sifuentes?

VICTOR: Mi dirección es 1825 Calle Antonio.

INÉZ *(Writing slowly):* 1...8...2...5... San... ¿Y cómo es escribe "Antonio"? ¿Con "A" de *agua?* ¿O con "A" de *África*?

VICTOR *(Splutters):* ¡Es la misma cosa! ¡La "A" de *agua* y la "A" de *África* es la misma letra!

INÉZ *(Huffily):* Sr. Caramba, no es la misma cosa. La "A" de *África* tiene acento.

VICTOR *(Despairing):* ¡Ay, ay, ay, ay! Se escribe con la "A" de agua entonces.

INÉZ *(Writing slowly):* 1825 Calle A - N - T - O - N - I - O. ¿Y su ciudad?

VICTOR *(With sudden finality):* No.

INÉZ: ¿No qué, Sr. Caramba?

VICTOR: Ya no quiero comprar una llanta de bicicleta.

INÉZ: ¿Por qué no?

VICTOR: Porque vivo en el estado de Nuevo México... ¡En la ciudad de... ***Albuquerque!*** Gracias. ¡Adiós! *(VICTOR hangs up the phone and exits)*

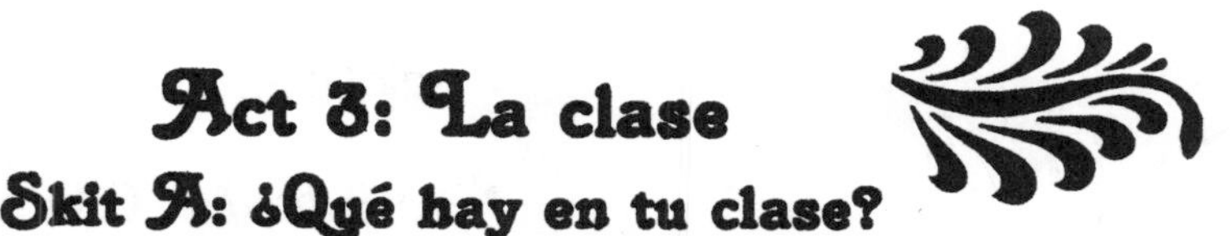

Act 3: La clase

Skit A: ¿Qué hay en tu clase?

Language Objectives:

Vocabulary: Classroom objects *(la clase, la mesa, la silla, el globo, la computadora, el reloj, la pluma, el lápiz, la maestra , el papel, el cuaderno, el calendario)*
Wild animals *(el lobo, la puma, el elefante)*

Structures: *¿Qué hay en tu clase? ¿Qué más hay en tu clase? Hay _____. No hay ____. ¿Por qué hay ______? Hay _____ para ______. ¡Qué ridículo!*

Cast: 2 Actors

ABUELA (CHELA's grandmother, who is interested, is hard of hearing and has a vivid imagination)

CHELA (An elementary school student)

Duration of performance: approximately 2 minutes

Optional Props/Sets: A chair for ABUELA. CHELA may stand, or may sit on the floor at ABUELA's feet, answering ABUELA's questions as she colors or plays with a toy.)

Production Notes: As should be obvious from the dialogue, ABUELA is horrifed and indignant with the misinformation she gleans from CHELA.

¿Qué hay en tu clase?

[ABUELA, who is hard of hearing, is chatting with her granddaughter CHELA after the first day of school.)

ABUELA: ¿Cómo se llama tu maestra, Chela?

CHELA: Se llama Señora Castro.

ABUELA: ¿Y qué hay en tu clase?

CHELA: Pues, mi clase es grande. En mi clase hay ocho mesas. Hay muchas sillas también.

ABUELA: ¿Qué más hay en tu clase?

CHELA: Pues, hay dos calendarios, tres computadoras y cinco globos.

ABUELA: ¡Cinco lobos! ¿Por qué hay lobos en tu clase, Chela?

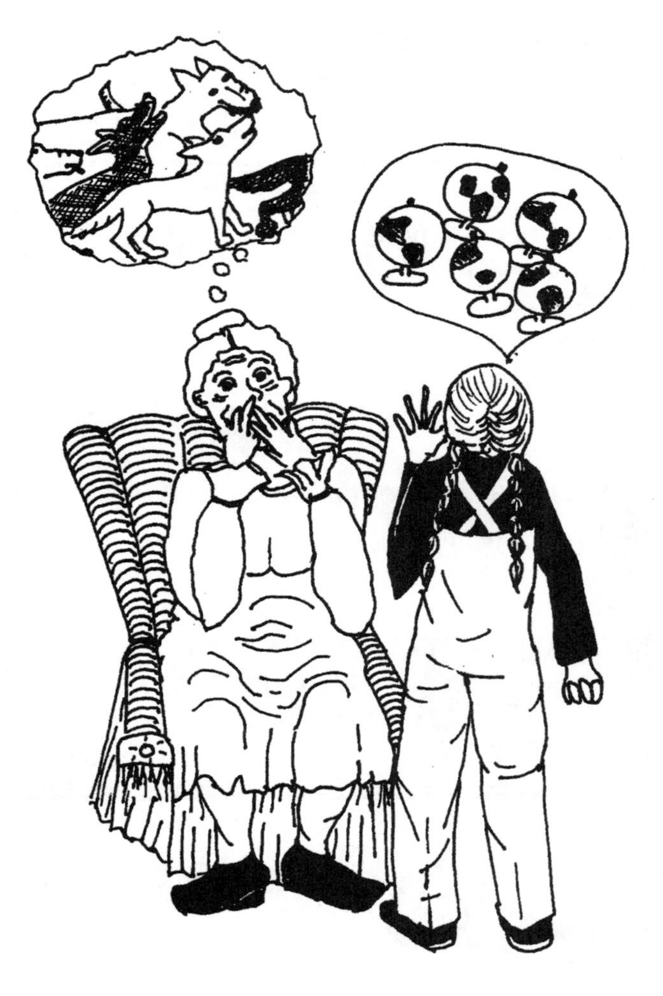

CHELA: No hay lobos, abuelita. Hay globos... globos azules y verdes.

ABUELA: ¡Ay, Chela, qué ridículo! Los lobos no son azules y verdes. Los lobos son cafés, negros y quizás blancos. ¡Y no viven en la clase! ¡Los lobos viven en los campos! ¿Qué más hay en tu clase, Chela?

CHELA: Pues, en mi clase hay muchos cuadernos y muchos libros... y cada alumno tiene un lápiz amarillo y una pluma negra.

ABUELA: ¡Una puma negra! ¡Qué susto! ¿Por qué hay pumas en tu clase? Lobos... ¿y pumas también?

CHELA: No hay pumas, abuelita. Hay plumas... plumas para escribir en el papel y en los cuadernos.

ABUELA: ¡Ay, Chela, qué ridículo! Las pumas son gatos. Las pumas no escriben en el papel o en cuadernos. ¿Qué más hay en tu clase?

CHELA: Pues, hay un reloj gigante.

ABUELA: ¡Un elefante! ¿Lobos, pumas y un elefante? ¡Ay, Chela, tu clase no está en la escuela! ¡Tu clase está en el zoológico!

Act 3: La clase
Skit 3: Toma el lápiz verde

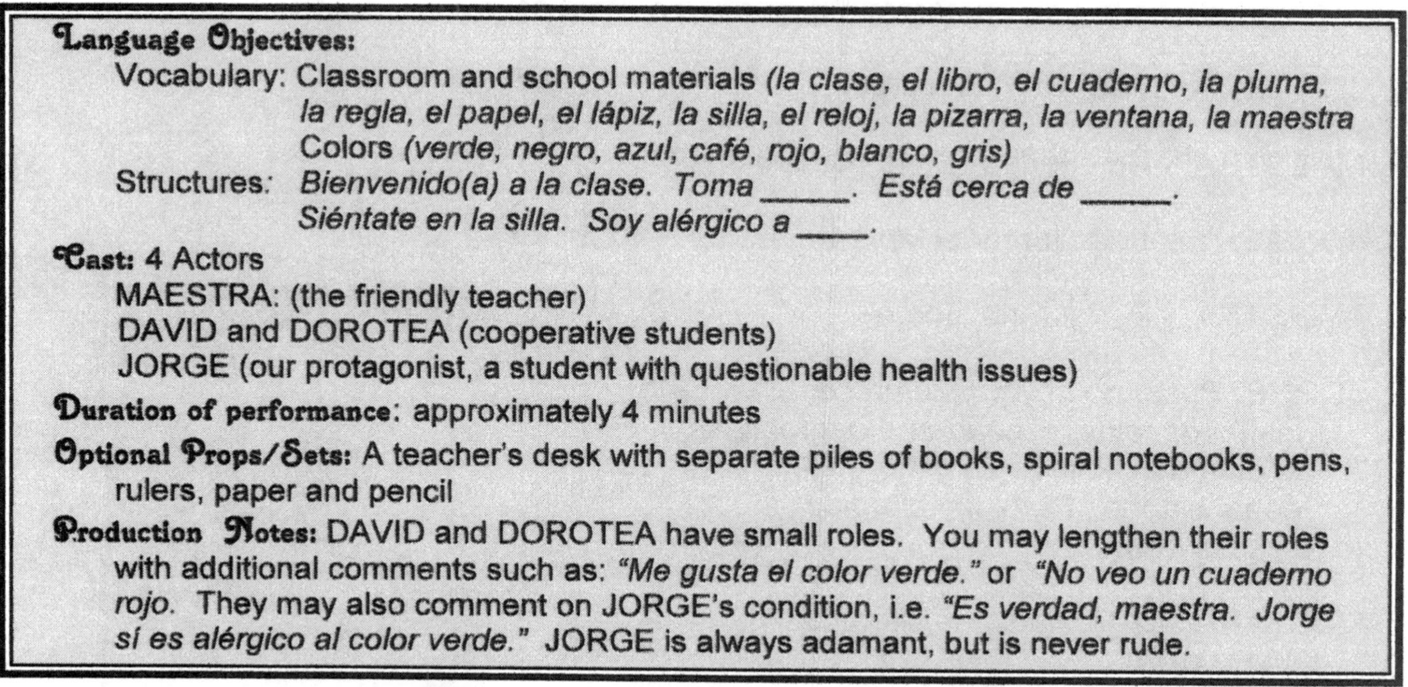

Language Objectives:

Vocabulary: Classroom and school materials *(la clase, el libro, el cuaderno, la pluma, la regla, el papel, el lápiz, la silla, el reloj, la pizarra, la ventana, la maestra*
Colors *(verde, negro, azul, café, rojo, blanco, gris)*

Structures: *Bienvenido(a) a la clase. Toma _____. Está cerca de _____. Siéntate en la silla. Soy alérgico a ____.*

Cast: 4 Actors
MAESTRA: (the friendly teacher)
DAVID and DOROTEA (cooperative students)
JORGE (our protagonist, a student with questionable health issues)

Duration of performance: approximately 4 minutes

Optional Props/Sets: A teacher's desk with separate piles of books, spiral notebooks, pens, rulers, paper and pencil

Production Notes: DAVID and DOROTEA have small roles. You may lengthen their roles with additional comments such as: *"Me gusta el color verde."* or *"No veo un cuaderno rojo.* They may also comment on JORGE's condition, i.e. *"Es verdad, maestra. Jorge sí es alérgico al color verde."* JORGE is always adamant, but is never rude.

Toma el lápiz verde

[MAESTRA is meeting her new students and handing out school supplies.]

MAESTRA: Buenos días. ¿Cómo te llamas?

DAVID: Me llamo David.

MAESTRA: Bienvenido a la clase, David. Toma dos libros rojos, un cuaderno negro, una pluma azul, una regla café, un paquete de papel blanco y un lápiz verde... y siéntate en la silla número cinco, por favor. Está cerca del reloj.

DAVID: Sí, maestra. Gracias. *(DAVID gathers his materials and goes to sit down.)*

DOROTEA: Buenos días, maestra. Me llamo Dorotea.

MAESTRA: Bienvenida a la clase, Dorotea. Toma dos libros rojos, un cuaderno negro, una pluma azul, una regla café, un paquete de papel blanco y un lápiz verde... y siéntate en la silla número seis, por favor. Está cerca de la pizarra.

DOROTEA: Sí, maestra. Gracias. *(DOROTEA gathers her materials and sits down.)*

MAESTRA: Buenos días. ¿Cómo te llamas tú?

JORGE: Me llamo Jorge.

MAESTRA: Bienvenido a la clase, Jorge. Toma dos libros rojos, un cuaderno negro, una pluma azul, una regla café, un paquete de papel blanco y un lápiz verde... y siéntate en la silla número siete, por favor. Está cerca de la ventana.

JORGE: No, maestra. No puedo.

MAESTRA: ¿No puedes? ¿No puedes qué?

JORGE: No puedo tomar el lápiz verde.

MAESTRA: ¿Por qué no, Jorge?

JORGE: Pues, no hay problema con los libros rojos, el cuaderno negro, la pluma azul, la regla café, o el papel blanco. Pero soy alérgico al color verde.

MAESTRA: Jorge, nadie es alérgico a los colores.

JORGE: Yo sí, maestra. Yo soy alérgico al color verde.

MAESTRA *(Sternly):* ¡Esto es ridículo! Jorge, escoge tus materiales y siéntate en la silla número siete.

JORGE *(Shrugs):* Está bien, maestra. *(JORGE gathers his materials.)* Dos libros rojos... un cuaderno negro... una pluma azul... una regla café... un paquete de papel blanco... y *(Pauses and sighs)* un lápiz verde. *(Upon picking up the green pencil, JORGE staggers around, grabbing his throat, coughing and choking.)*

MAESTRA: ¡Está bien! *(MAESTRA takes the green pencil away from JORGE.)*

JORGE *(Completely recovered):* Soy alérgico al color verde, maestra.

MAESTRA: Está bien, Jorge. Toma un lápiz gris y siéntate en la silla número siete.

JORGE: No, maestra. No puedo.

MAESTRA *(Sighs):* ¿Por qué?

JORGE: No hay un problema con la silla, maestra, y no hay ningun problema con la ventana ... pero, Maestra... ¡yo soy alérgico al número siete!

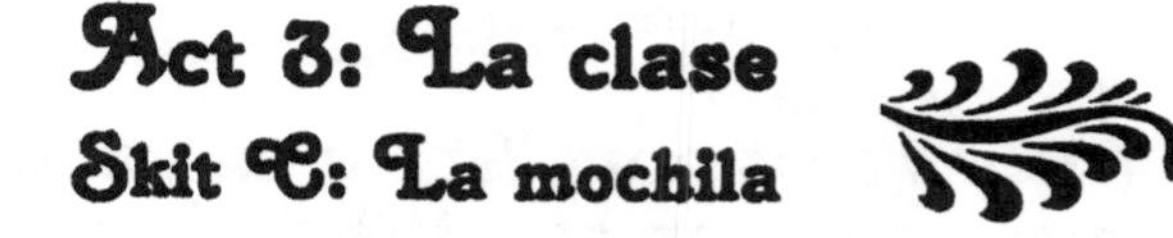

Act 3: La clase
Skit C: La mochila

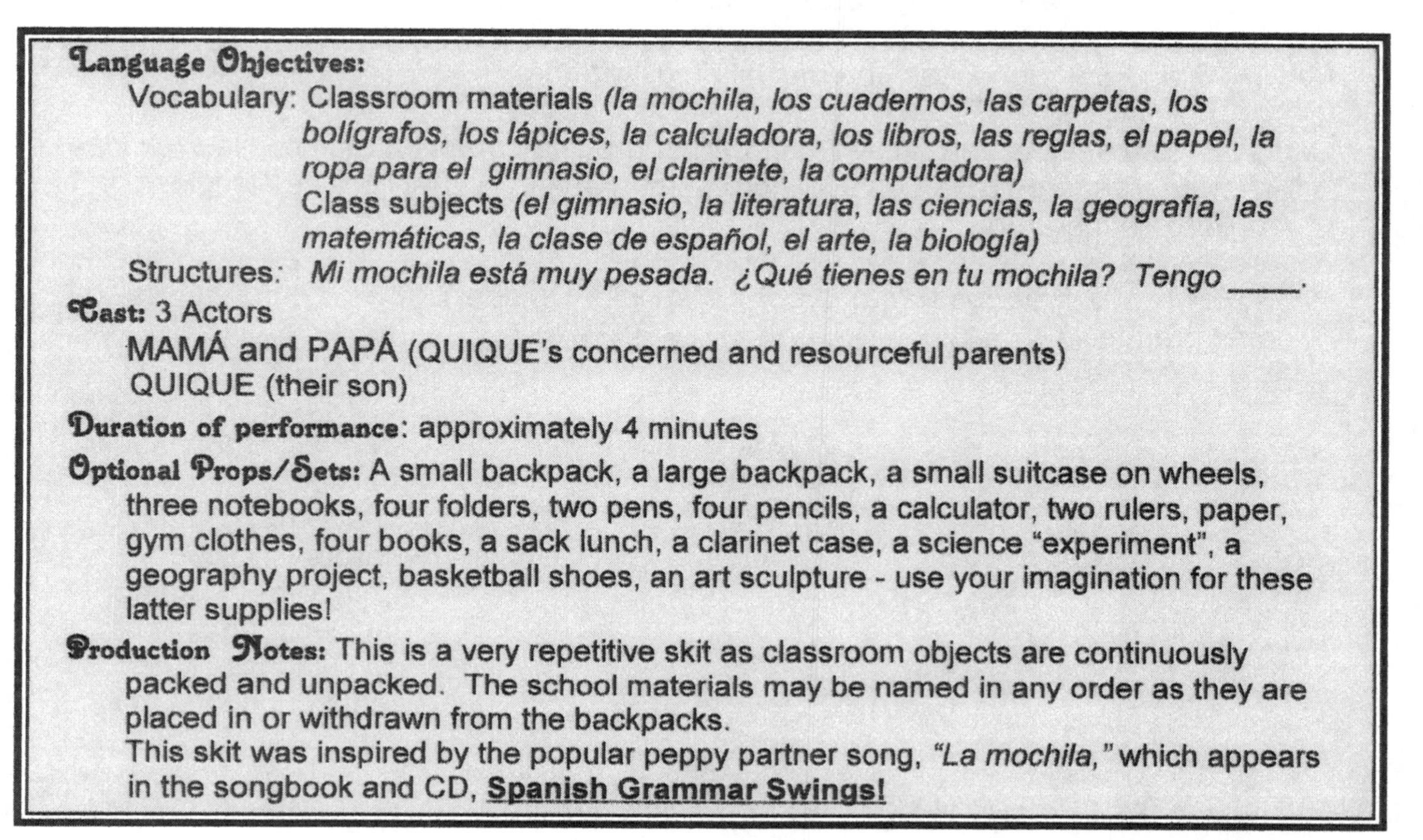

Language Objectives:

Vocabulary: Classroom materials *(la mochila, los cuadernos, las carpetas, los bolígrafos, los lápices, la calculadora, los libros, las reglas, el papel, la ropa para el gimnasio, el clarinete, la computadora)*
Class subjects *(el gimnasio, la literatura, las ciencias, la geografía, las matemáticas, la clase de español, el arte, la biología)*

Structures: *Mi mochila está muy pesada. ¿Qué tienes en tu mochila? Tengo ____.*

Cast: 3 Actors
MAMÁ and PAPÁ (QUIQUE's concerned and resourceful parents)
QUIQUE (their son)

Duration of performance: approximately 4 minutes

Optional Props/Sets: A small backpack, a large backpack, a small suitcase on wheels, three notebooks, four folders, two pens, four pencils, a calculator, two rulers, paper, gym clothes, four books, a sack lunch, a clarinet case, a science "experiment", a geography project, basketball shoes, an art sculpture - use your imagination for these latter supplies!

Production Notes: This is a very repetitive skit as classroom objects are continuously packed and unpacked. The school materials may be named in any order as they are placed in or withdrawn from the backpacks.
This skit was inspired by the popular peppy partner song, *"La mochila,"* which appears in the songbook and CD, **Spanish Grammar Swings!**

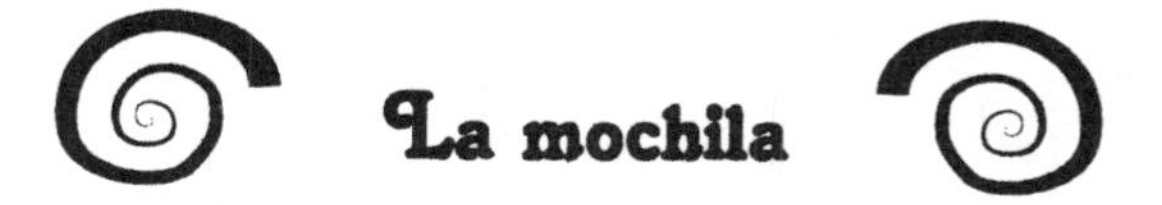

La mochila

[Maybe there just isn't a backpack big enough for all of QUIQUE's school supplies.]

QUIQUE *(MAMÁ and PAPÁ are relaxing in the livingroom, QUIQUE enters, dragging along a small, very overstuffed backpack):* ¡Mamá! ¡Papá! Mi mochila está muy pesada! No puedo levantarla.

PAPÁ: ¿Por qué está tan pesada, Quique?

QUIQUE: No sé.

MAMÁ: ¿Qué tienes en tu mochila, Quique?

QUIQUE *(Opens the backpack and starts taking out items):* Pues, tengo tres cuadernos... cuatro carpetas... dos bolígrafos... cuatro lápices... dos reglas... una calculadora... papel... mi ropa para el gimnasio... y un libro de la biblioteca.

PAPÁ: ¿Por qué tienes dos reglas, Quique?

QUIQUE: No sé. *(He removes one ruler and then tries to pick up the backpack again)* Todavía está muy pesada. Muy llena también.

MAMÁ: Quique, tú necesitas una mochila más grande.

QUIQUE: Eso sí es la verdad, Mamá! Estos libros no caben en mi mochila. *(Quique shows three large textbooks)* Mi libro de matemáticas... mi libro de ciencias... y mi libro de literatura.

PAPÁ *(Exits, then returns with a larger backpack):* Quique, usa esta mochila. Es más grande.

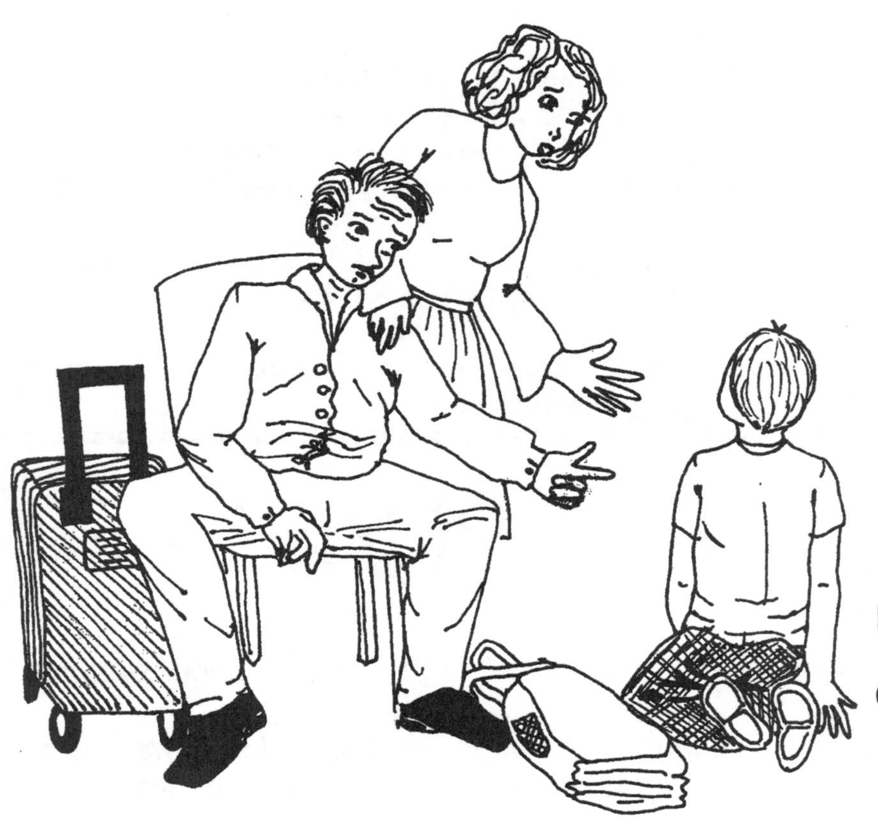

QUIQUE *(Names items as he restuffs the bigger backpack):* Tres cuadernos... cuatro carpetas... dos bolígrafos... cuatro lápices... una calculadora... una regla... papel... mi ropa para el gimnasio... un libro de la biblioteca... mi libro de matemáticas, mi libro de ciencias y mi libro de literatura.

PAPÁ: ¿Es mejor?

QUIQUE: No... Todavía está muy pesada... y muy llena... y todavía necesito meter más cosas.

MAMÁ: ¿Qué más?

QUIQUE: Pues... *(He holds the items up)* Mis zapatos de básquelbol, mi almuerzo, mi proyecto para la clase de geografía y mi clarinete.

MAMÁ: Ay, Quique, una mochila no es suficiente para todas esas cosas.

PAPÁ: Yo tengo una idea. *(PAPÁ exits, then returns with a small suitcase)* ¡Una maleta!

QUIQUE *(Names items as he stuffs the suitcase):* Tres cuadernos... cuatro carpetas... dos bolígrafos... cuatro lápices... una calculadora... una regla... papel... mi ropa para el gimnasio... un libro de la biblioteca... mi libro de matemáticas, mi libro de ciencias y mi libro de literatura... mis zapatos de básquetbol, mi almuerzo, mi proyecto para la clase de geografía y mi clarinete.

PAPÁ: ¿Es mejor?

QUIQUE: Sí, es mejor... pero todavía necesito más espacio.

MAMÁ: ¿Qué más tienes, Quique?

QUIQUE: Pues, tengo mi escultura para la clase de arte, mi computadora, mi experimento para la clase de biología y mi chaqueta porque hace mucho frío en la clase de español.

PAPÁ: Quique, ¿sabes qué? Tú no necesitas una mochila para tus cosas. ¡Tú necesitas un burro!

Act 4: Los números

Skit A: ¿Cuántos hay...?

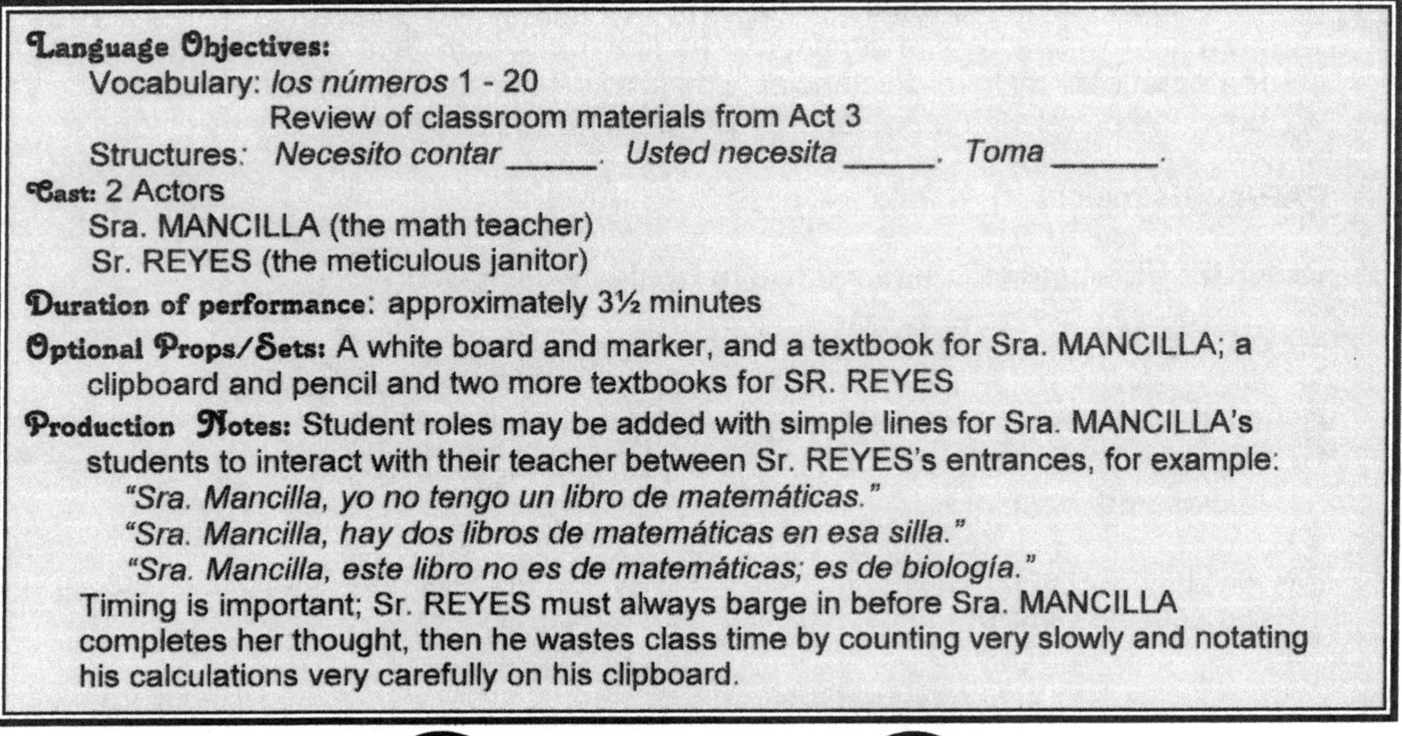

Language Objectives:

Vocabulary: *los números* 1 - 20

Review of classroom materials from Act 3

Structures: *Necesito contar* _____. *Usted necesita* _____. *Toma* ______.

Cast: 2 Actors

Sra. MANCILLA (the math teacher)

Sr. REYES (the meticulous janitor)

Duration of performance: approximately 3½ minutes

Optional Props/Sets: A white board and marker, and a textbook for Sra. MANCILLA; a clipboard and pencil and two more textbooks for SR. REYES

Production Notes: Student roles may be added with simple lines for Sra. MANCILLA's students to interact with their teacher between Sr. REYES's entrances, for example:

"Sra. Mancilla, yo no tengo un libro de matemáticas."

"Sra. Mancilla, hay dos libros de matemáticas en esa silla."

"Sra. Mancilla, este libro no es de matemáticas; es de biología."

Timing is important; Sr. REYES must always barge in before Sra. MANCILLA completes her thought, then he wastes class time by counting very slowly and notating his calculations very carefully on his clipboard.

¿Cuántos hay...?

[It's the first day of school and there are piles of books, pencils and notebooks in the classroom. The teacher, Sra. MANCILLA, is introducing herself to her new students.]

Sra. MANCILLA: Buenos días, clase. ¿Cuántos alumnos hay en la clase? *(Sra. Mancilla counts the students.)* 1, 2, 3, 4, 5, 6, 7, 8, 9, 10, 11, 12, 13, 14, 15. Muy bien. Hay 15 alumnos en la clase. Nueve muchachas y seis muchachos. Yo me llamo—

[The janitor, Sr. REYES bursts in.]

Sr. REYES: Buenos días, Sra. ¿Cuántos libros de matemáticas hay en su clase?

Sra. MANCILLA: Hay 13.

Sr. REYES: Hay 13 libros de matemáticas... pero hay 15 alumnos en su clase. Usted necesita 2 libros más. Gracias, adiós.

Sra. MANCILLA: Me llamo Sra. Mancilla. *(She writes on the board.)* M... A... N...C...

[Sr. REYES bursts in again. He looks at the board.]

Sr REYES: ¿Usted se llama Sra. Manc?

Sra. MANCILLA: No. Me llamo Sra. Mancilla. *(She finishes spelling her name on the board.)* C...I... LL... A. ¿Sí, Sr. Reyes?

Sr. REYES: Dos libros más. *(He hands them to her.)* Gracias, adiós. *(He exits)*

Sra. MANCILLA *(To students):* Yo soy la maestra de—

Sr. REYES *(Enters):* Necesito contar las mesas en su clase. *(Loudly)* 1... 2... 3... 4... 5. Hay 5 mesas en la clase. *(He writes this down, and begins to leave, but turns around again.)* Necesito contar los relojes en su clase. Uno. *(Writes it down.)* Hay un reloj en la clase. Necesito contar las computadoras en su clase. 1, 2, 3, 4. *(Writes)* Hay cuatro computadoras en la clase. ¡Gracias, adiós! *(Exits)*

Sra. MANCILLA: Clase, soy la maestra de matemáticas. Estos son sus libros de—

Sr. REYES *(Enters):* Necesito contar los lápices en su clase. 1, 2, 3, 4, 5, 6, 7, 8, 9, 10, 11, 12, 13, 14, 15... *(Frowns)* ¡16, 17, 18, 19, 20! Sra. Mancilla, esto no está bien. Hay 15 alumnos en su clase y usted tiene 20 lápices.

Sra. MANCILLA *(Sighing with irritation):* Toma 5 lápices, Sr. Reyes.

Sr. REYES *(He takes away five pencils, counting loudly):* 20, 19, 18, 17, 16. Ahora hay 15 lápices para los 15 alumnos en la clase. Gracias, adiós. *(Exits)*

Sra. MANCILLA: Clase, estos son sus libros de matemáticas y—

[The door swings open and the janitor, Sr. REYES bursts in again.

Sra. MANCILLA: Sr. Reyes, ¡Por favor! Necesito hablar con mis alumnos.

Sr. REYES: Lo siento, Sra. Mancilla, pero me gusta mucho la clase de matemáticas. Me gusta contar.

Sra. MANCILLA *(Dryly):* Entonces, toma un libro y siéntate en una silla.

Sr. REYES: ¡Gracias, Sra. Mancilla! *(He takes a math book and sits in a chair.)*

Sra. MANCILLA *(To her students):* Los libros de matemáticas son nuevos y—

Sr. REYES *(Jumps up suddenly):* ¡Sra. Mancilla! ¡Ahora hay 16 alumnos en su clase! ¡Usted necesita un libro y un lápiz más! ¡Adiós! *(Sr. REYES exits.)*

Act 4: Los números
Skit B: Doce galletas

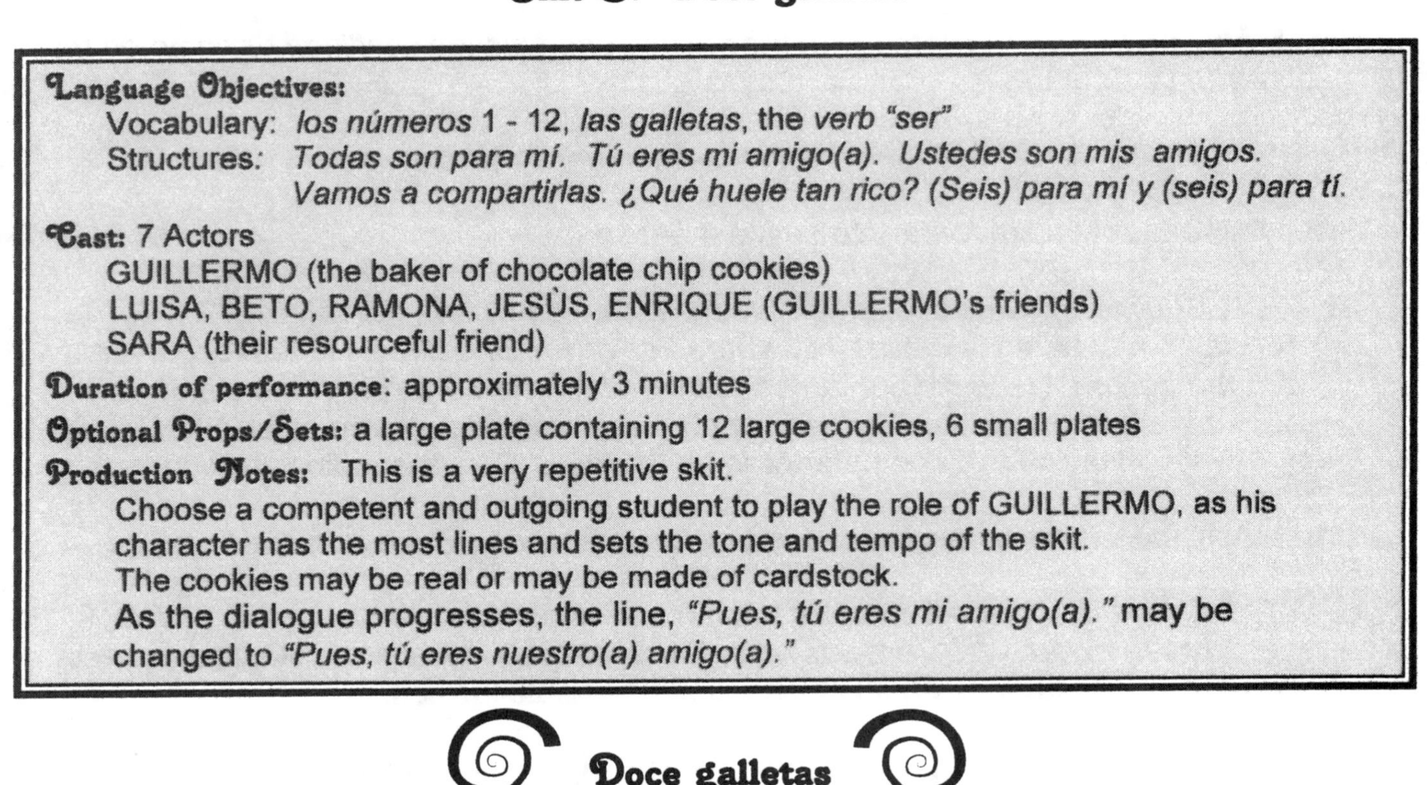

Language Objectives:
Vocabulary: *los números* 1 - 12, *las galletas*, the *verb "ser"*
Structures: *Todas son para mí. Tú eres mi amigo(a). Ustedes son mis amigos. Vamos a compartirlas. ¿Qué huele tan rico? (Seis) para mí y (seis) para tí.*

Cast: 7 Actors
GUILLERMO (the baker of chocolate chip cookies)
LUISA, BETO, RAMONA, JESÙS, ENRIQUE (GUILLERMO's friends)
SARA (their resourceful friend)

Duration of performance: approximately 3 minutes

Optional Props/Sets: a large plate containing 12 large cookies, 6 small plates

Production Notes: This is a very repetitive skit.
Choose a competent and outgoing student to play the role of GUILLERMO, as his character has the most lines and sets the tone and tempo of the skit.
The cookies may be real or may be made of cardstock.
As the dialogue progresses, the line, *"Pues, tú eres mi amigo(a)."* may be changed to *"Pues, tú eres nuestro(a) amigo(a)."*

Doce galletas

[GUILLERMO just baked a dozen cookies and he is getting ready to eat them.]

GUILLERMO *(Looks at a plate of twelve freshly-baked cookies before him):* Doce galletas calientes del horno. Doce galletas... ¡y todas son para mí! *(Chooses one, gets ready to bite into it when LUISA enters.)*

LUISA: ¡Hola, Guillermo! ¿Qué huele tan rico? ¡Galletas!

GUILLERMO: Sí, hay doce... calientes del horno. ¡Todas son para mí! Pues, tú eres mi amiga. Vamos a compartirlas. Seis para tí y seis para mí. *(He gets a second plate and divides them)* 1, 2, 3, 4, 5, 6 para mí... y 1, 2, 3, 4, 5, 6 para tí.

[They choose cookies and get ready to bite them when BETO enters.]

BETO: ¡Hola, Guillermo! ¿Qué huele tan rico? ¡Galletas!

GUILLERMO: Sí, hay doce. Pues, tú eres mi amigo. Vamos a compartirlas. Cuatro para Luisa, cuatro para tí y cuatro para mí. *(He gets a third plate and divides them)* 1, 2, 3, 4... 1, 2, 3, 4... 1, 2, 3, 4.

[They choose cookies and get ready to bite them when RAMONA enters.]

RAMONA: ¡Hola, amigos! ¿Qué huele tan rico? ¡Galletas!

GUILLERMO: Sí, hay doce. Pues, tú eres mi amiga. Vamos a compartirlas. Tres para Luisa, tres para Beto, tres para tí y tres para mí. *(He gets a fourth plate and divides them)* 1, 2, 3... 1, 2, 3... 1, 2, 3... 1, 2, 3.

[They divide the cookies again as JESÙS and ENRIQUE enter.]

JESÙS and ENRIQUE: ¡Hola! ¿Qué huele tan rico? ¡Galletas!

GUILLERMO *(Looks at the cookies sadly)*: Sí, hay doce. *(Sighs)* Pues, ustedes son mis amigos. Vamos a compartirlas. Dos galletas para cada persona.

[GUILLERMO gets two more plates and divides the cookies evenly. Each person looks sadly at the two cookies on his or her plate. Just then SARA enters. Everyone looks stricken at their cookies.]

SARA: ¡Hola, amigos! ¿Qué huele tan rico? ¡Galletas! *(Looks from face to face)* ¿Qué? ¿Qué pasa?

GUILLERMO: Hay doce galletas... Doce solamente. *(Sighs)* Pues, tú eres mi amiga. Vamos a compartirlas.

LUISA: Pero ahora hay siete personas.

BETO: ¿Cómo vamos compartirlas?

RAMONA: ¿Qué vamos a hacer?

JESÙS and ENRIQUE: No sé.

SARA: Oye, Guillermo. Tengo una idea. ¿Tienes más azúcar?

GUILLERMO: Sí.

SARA: ¿Tienes más harina?

GUILLERMO: Sí.

SARA: ¿Tienes más chocolate?

GUILLERMO: Sí.

SARA: ¡Perfecto! ¡Vamos a preparar más galletas!

Act 4: Los números
Skit C: Las tostadas

Language Objectives:

Vocabulary: *los números* 1 - 30, *las tostadas,* the verb *"querer" (yo quiero, tú quieres, mi hijo quiere, nosotros queremos, ustedes quieren)*

Structures*:* ____ *es mi número de la suerte. No quiero* ____ *y no quiero* ____*. Tengo diez años! Mi cumpleaños es el día treinta de junio.*

Cast: 4 Actors

ROBERTO (the waiter)
Sr. RAMIREZ (the jovial father)
Sra. RAMIREZ: (The picky mother)
EFRAÍN (Sr. And Sra. RAMIREZ's bratty son)

Duration of performance: approximately 3 minutes

Optional Props/Sets: A table and three chairs; ROBERTO needs a basket of tostada chips, a bowl of salsa (it may be empty) and a pair of tongs; Sr. and Sra. RAMIREZ and EFRAÍN each need a small plate

Production Notes: The RAMIREZ family is eccentric and obnoxious, which quickly becomes evident as the skit unfolds. ROBERTO is the "straight" man, until he totally loses his temper. Additional props such as a table cloth, napkins, glasses of water may be added for ambience and may be worked into the skit to lengthen it. This is a very funny skit; have a good time with it!

Las tostadas

[It looks like it's going to be a long night for ROBERTO, a waiter at La Molina's Restaurante Mexicano, as he waits on the quirky Ramirez family.]

ROBERTO: Buenas tardes. Soy su mesero. Me llamo Roberto. ¿Quieren tostadas y salsa?

Sr. RAMIREZ *(Heartily):* Sí, Roberto, por favor. Queremos tostadas y salsa. *(To Sra. RAMIREZ*) ¿Verdad, mi amor?

Sra. RAMIREZ: ¡Claro que sí!

EFRAÍN: ¡Yo quiero tostadas y salsa!

[ROBERTO exits and returns with a basket of tostada chips and salsa.]

Sr. RAMIREZ: Gracias para las tostadas, Roberto... pero yo solamente quiero quince tostadas. No quiero catorce y no quiero dieciseis.

ROBERTO: ¿Por qué?

Sr. RAMIREZ: Porque quince es mi número de la suerte.

ROBERTO *(Shrugs):* Muy bien. *(ROBERT gets a pair of tongs, and counting out loud, places fifteen chips on Sr. RAMIREZ's plate. He moves the basket of chips toward Sra. RAMIREZ.)*

Sr. RAMIREZ: Gracias, Roberto. Perfecto.

Sra. RAMIREZ: Roberto, yo quiero veintidos tostadas en mi plato. No quiero veintiuno y no quiero veintitres. Veintidos es ***mi*** número de la suerte.

ROBERTO *(Rolls his eyes):* Muy bien. *(With the tongs, and while counting out loud, ROBERTO places twenty-two chips on Sra. RAMIREZ's plate.)*

Sra. RAMIREZ: Gracias, Roberto. Es perfecto.

EFRAÍN *(Announces):* ¡Yo quiero exactamente diez tostadas porque yo tengo diez años! Mi cumpleaños es el treinta de junio.

ROBERTO *(Gritting his teeth and holding his temper):* Muy bien. *(ROBERTO intends to put ten chips on EFRAÍN's plate, but mistakenly puts only nine.)*

EFRAÍN *(Counts the nine chips and then screams hysterically):* ¡Yo solamente tengo nueve tostadas en mi plato! ¡No quiero nueve! ¡Quiero diez! ¡Tengo diez años! ¡Papá, cuenta las tostadas en mi plato! ¡Solamente hay nueve!

Sr. RAMIREZ *(Counts the chips, speaks firmly to ROBERTO):* Mi hijo quiere diez tostadas en su plato. ¡Diez! ¿Entiende? No quiere nueve y no quiere once. *(Looks angrily and accusingly at ROBERTO.)*

Sra. RAMIREZ *(Consoles EFRAÍN):* Pobrecito, mi hijo.

ROBERTO *(Loses his temper):* ¡Ustedes están locos! *(To EFRAÍN)* ¿Tú quieres diez tostadas, muchacho? ¡Muy bien! *(He picks up one of EFRAÍN's chips and resolutely breaks it into two pieces.)* ¡Ahora tienes diez! *(He picks up each chip one at a time as he counts them out loud.)*

Sr. RAMIREZ *(Looks around the restaurant, huffily):* Quiero hablar con el jefe.

ROBERTO: ¿O quizás ustedes quieren cien tostadas? ¿Quizás cien es su número de la suerte también? *(With his fist, he crushes all of the chips on their plates.)* ¡Cien tostadas! ¡O más!

Sra. RAMIREZ *(Grabs Sr. RAMIREZ's arm and says warily):* Vámonos, mi amor.

Sr. RAMIREZ *(Huffily):* Sí, mi amor, vámonos. *(To ROBERTO)* Ya no queremos comer en este restaurante. *They start to exit but Sr. RAMIREZ turns around and retrives the basket of chips)* ¡Pero nosotros nos llevamos las tostadas!

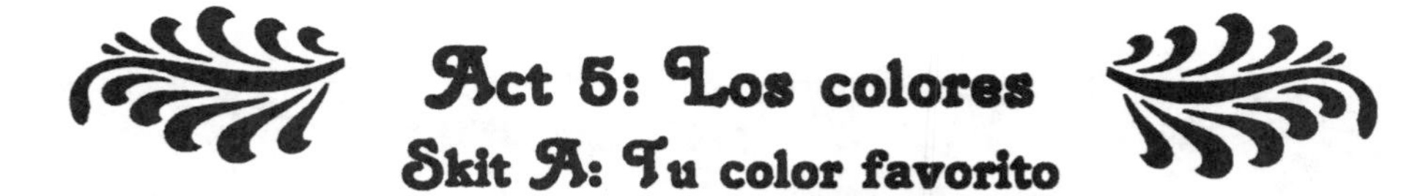

Act 5: Los colores

Skit A: Tu color favorito

Language Objectives:

Vocabulary: *los colores (rojo, azul, amarillo, verde, anaranjado, rosado, morado, blanco, negro, gris, café)*

Structures: *¿Cuál es tu color favorito? Mi color favorito es (no es) ____.*

Cast: 4 Actors

MAMÁ (who leads the color discussion)

JULIO, ALICIA, SANTI (MAMÁ's elementary school-age children)

Duration of performance: approximately 1½ minutes

Optional Props/Sets: None

Production Notes: This short, simple skit may be enhanced by the actors holding up colored pages, or by MAMÁ demonstrating the mixing of colors with a palette and paints.

Tu color favorito

MAMÁ: ¿Julio, cuál es tu color favorito?

JULIO: Mi color favorito es rojo.

MAMÁ: Muy bien. ¿Alicia, cuál es tu color favorito?

ALICIA: Mi color favorito es blanco.

MAMÁ: Bien. ¿Santi, cuál es to color favorito?

SANTI: Mis colores favoritos son rojo y azul, verde y anaranjado.

MAMÁ: Un color, Santi. Dime un sólo color. ¿Cuál es tu color favorito?

SANTI: Mis colores favoritos son rojo y azul, verde y anaranjado. Y amarillo, y gris.

MAMÁ: Entonces, ¿sabes qué, Santi? Tu color favorito es café.

SANTI: ¿Café? ¡No! Mi color favorito no es café! Mis colores favoritos son rojo y azul, verde y anaranjado. Y amarillo y gris... y morado también.

MAMÁ: Sí, Santi, tu color favorito es café. Porque, Santi, todos los colores son tus favoritos. Y si tu mezclas todos los colores juntos... el color es café.

SANTI: ¿Sí, mamá? Muy bien. ¡Mi color favorito es café!

Act 5: Los colores

Skit B: El caballo no es azul

Language Objectives:

Vocabulary: *los colores (rojo, azul, amarillo, verde, anaranjado, rosado, morado, blanco, negro, gris, café)*

Structures: *¿De qué color es ____? El (armadillo) es (gris). La (manzana) es (roja). ¿De qué colores son _____? Los (caballos) son (negros). Las (flores) son (rosadas).*

Cast: 6 Actors

MAESTRO (who is teaching lesson on the colors)

JOSÉ, LUIS, PAULINA, LUCIA (everyday, average elementary age school kids)

BENITO (a highly imaginative and resolute classmate)

Duration of performance: approximately 2½ minutes

Optional Props/Sets: Flashcards of an apple, an armadillo and a pear

Production Notes: BENITO must show innocent exuberance, which is exhausting to educators that see him every day.

Feel free to add more flash cards and lines for JOSÉ, LUIS, PAULINA – and additional students – to review objects and colors.

You may choose to have classmates react to BENITO's shenanigans with either empathetic agreement or aggravated groans.

El caballo no es azul

[MAESTRO is quizzing his students on colors by holding up object flash cards.]

MAESTRO *(Holds up a flash card of an apple):* ¿Y de qué color es la manzana?

JOSÉ: La manzana es roja.

MAESTRO: Sí, José. La manzana es roja. *(Holds up an armadillo flashcard)* Ahora, clase... ¿de qué color es el armadillo?

LUIS: El armadillo es gris.

MAESTRO: Sí, Luis. Muy bien. El armadillo es gris. *(Holds up a pear flash card)* Y ahora... ¿de qué color es la pera?

PAULINA: La pera es verde.

MAESTRO: Excelente. La pera es verde. Ahora, clase... *(MAESTRO puts down the object flash cards.)* ¿De qué color es el sol?

LUCIA: El sol es amarillo... o anaranjado.

MAESTRO: ¡Muy bien, Lucia! Ahora, clase, algo más difícil. ¿De qué color son... las flores?

LUCIA: ¡Las flores son moradas!

JOSÉ: ¡Las flores son rosadas!

LUIS: ¡Las flores son blancas!

MAESTRO *(Laughing):* Sí, clase, muy bien. Las flores son moradas, rosadas, blancas.... y son de muchos otros colores también. Bueno... ¿de qué color son los caballos?

BENITO: ¡Los caballos son azules!

MAESTRO: No, Benito. Los caballos no son azules.

BENITO: Sí, maestro. Los caballos son azules. Yo tengo un video en mi casa, y en mi video los caballos son azules.

MAESTRO: Pues, en realidad, Benito, los caballos no son azules.

BENITO: ¿De qué colores son los caballos, maestro?

PAULINA: ¡Yo sé, maestro, yo sé! Los caballos son blancos.

JOSÉ: ¡Y negros!

LUIS: ¡Y cafés y grises también!

MAESTRO: Es verdad, niños. Los caballos son blancos... o cafés, o grises, o negros.

BENITO: ¿Y son rojos también?

MAESTRO: No, Benito, los caballos no son rojos.

BENITO: Pero sus corazones son rojos.

MAESTRO *(Sighing):* Sí, Benito. Los corazones de los caballos son rojos.

BENITO: Bueno, Maestro. *(Thinking slowly)* Los caballos son blancos.

MAESTRO: Sí.

BENITO: Y son cafés, negros y grises.

MAESTRO: Sí.

BENITO: Y sus corazones son rojos.

MAESTRO: Sí.

BENITO: ¡Pero sus alas son azules!

MAESTRO: ¡Ay, Benito! ¡Tú miras demasiados videos!

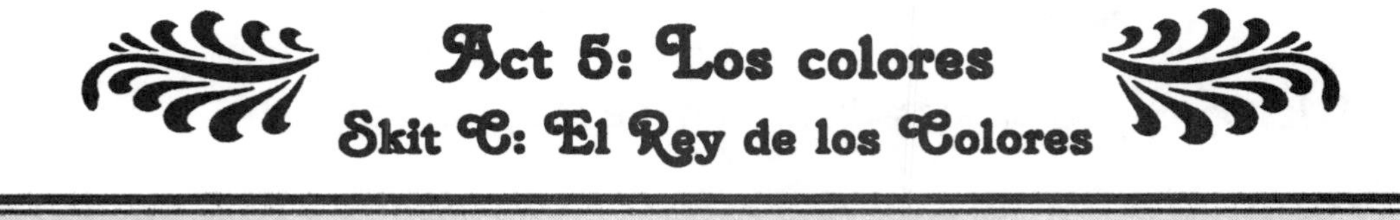

Act 5: Los colores
Skit C: El Rey de los Colores

Language Objectives:
Vocabulary: *los colores (a review), el Rey, el príncipe, los príncipes, la princesa, la corona, el castillo, el jardín*
Structures: *Es hermosa. Es bonita. ¡Qué hermosa es! ¡Qué bonita es! ¡Mira!*

Cast: 5 Actors
EI REY (the crafty King)
PEDRO (El REY's loyal and guileless servant)
PRÍNCIPE HUGO, PRÍNCIPE LUIS, PRÍNCIPE TULIO (rather foolish cookie-cutter princes that are way too eager to please El REY)

Duration of performance: approximately 5 minutes

Optional Props/Sets: A black crown for PRÍNCIPE HUGO; a yellow crown for PRÍNCIPE LUIS; a red crown for PRÍNCIPE TULIO; a framed photo for El REY

Production Notes: This skit is longer because it tells a full story. The personalities of the three princes should be indistinguishable.

El Rey de los Colores

[EL REY and PEDRO, the servant, stand together. The three princes stand waiting nearby.]

PEDRO *(To REY):* Mi Rey, ¿quiénes son esos tres hombres?

EL REY *(To PEDRO):* Son príncipes, Pedro. Quieren casarse con mi hija, la Princesa Margarita. Es una decisión muy difícil para mí.

EL REY *(Goes to greet the three princes):* Buenos días. ¿Cómo se llaman ustedes?

PRÍNCIPE HUGO *(He bows):* Buenos días, Su Majestad. Yo soy el Príncipe Hugo. Mi corona es negra.

PRÍNCIPE LUIS *(He bows):* Buenos días, Su Majestad. Yo soy el Príncipe Luis. Mi corona es amarilla.

PRÍNCIPE TULIO *(He bows):* Buenos días, Su Majestad. Yo soy el Príncipe Tulio. Mi corona es roja.

EL REY: Mis queridos príncipes, bienvenidos a mi castillo. Es un día bonito, ¿sí?

PRÍNCIPE HUGO: ¡Sí, Su Majestad! ¡Es un día muy bonito!

PRÍNCIPE LUIS: ¡Sí, Su Majestad! ¡Es un día muy bonito!

PRÍNCIPE TULIO: ¡Sí, Su Majestad! ¡Es un día muy bonito!

PEDRO *(Protesting):* Pero, mi Rey, hoy el cielo no es azul. Es gris. No es un día muy bonito.

EL REY: Shhh, Pedro. *(To the princes)* Mis queridos príncipes, ¡miren el sol! Es un verde maravilloso, ¿sí?

PRÍNCIPE HUGO *(With a confused glance at the other princes):* Sí, Su Majestad, el sol es un verde maravilloso.

PRÍNCIPE LUIS: Sí, Su Majestad, el sol es un verde maravilloso.

PRÍNCIPE TULIO: Sí, Su Majestad, el sol es un verde maravilloso.

PEDRO: Pero, mi Rey, el sol no es verde. Es amarillo, como siempre.

EL REY: Shhh, Pedro. Mis queridos príncipes, ¡miren mi jardín! ¿Las rosas negras y cafés son exquisitas, ¿sí?

PRÍNCIPE HUGO: Sí, Su Majestad, las rosas negras y cafés son exquisitas.

PRÍNCIPE LUIS: Sí, Su Majestad, las rosas negras y cafés son exquisitas.

PRÍNCIPE TULIO: Sí, Su Majestad, las rosas negras y cafés son exquisitas.

PEDRO: Pero, mi Rey, las rosas no son negras ni cafés. Son blancas y rosadas.

EL REY: Shhh, Pedro. Mis queridos príncipes, ¡miren! Mi tigre vive en el jardín. ¿No es hermoso mi tigre morado y azul?

PRÍNCIPE HUGO: Sí, Su Majestad, su tigre morado y azul es muy hermoso.

PRÍNCIPE LUIS: Sí, Su Majestad, su tigre morado y azul es muy hermoso.

PRÍNCIPE TULIO: Sí, Su Majestad, su tigre morado y azul es muy hermoso.

PEDRO: Pero, mi Rey, ¡ese animalito no es un tigre. ¡Es un gato! Y no es azul ni morado. ¡Es gris y blanco!

EL REY: Shhh, Pedro. Mis queridos príncipes, miren esta foto de mi hija, la Princesa Margarita. ¡Qué hermosa es! Sus ojos son rojos, su pelo es verde y sus dientes son negros. Es hermosa, ¿verdad? Especialmente los dientes negros.

PRÍNCIPE HUGO: Sí, Su Majestad, es muy bonita. Especialmente los dientes negros.

PRÍNCIPE LUIS: Sí, Su Majestad, es muy bonita. Especialmente los dientes negros.

PRÍNCIPE TULIO: Sí, Su Majestad, es muy bonita. Especialmente los dientes negros.

PEDRO *(Looks at photo):* Mi Rey, por favor, no hable así de la Princesa Margarita. Sus ojos no son rojos; son azules. Y su pelo no es verde; es café. Y sus dientes no son negros; son blancos.

EL REY: Shhhh, Pedro. *(Paces across the floor, tapping his chin with his finger)* Ahora, a decidir... ¿Quién es el hombre para mi hija? ¿El Príncipe Hugo con su corona negra? ¿El Príncipe Luis con su corona amarilla? ¿El Príncipe Tulio con su corona roja? *(Stops pacing and speaks firmly)* Ya no es una decisión difícil... porque mi hija, la Princesa Margarita es muy inteligente. Ustedes, mis queridos príncipes, no son inteligentes. El sol no es verde; es amarillo. Las rosas no son negras ni cafés; son blancas y rosadas. Y el animal en mi jardín no es un tigre; ¡es un gato! El hombre más inteligente aquí es Pedro. Pedro, tú eres el hombre para mi hija, la Princesa Margarita.

PEDRO: Gracias, mi Rey. La Princesa Margarita es mi amiga.

EL REY: Bienvenido a la familia, Pedro. Y tú, Príncipe Hugo y tú, Príncipe Luis, y tú, Príncipe Tulio... ¡ustedes necesitan estudiar los colores!

Act 6: El cuerpo humano

Skit A: Tengo mucha comezón también

Language Objectives:

Vocabulary: *el cuerpo humano (la cabeza, la garganta, la pierna, la rodilla, los ojos, la nariz, las orejas, la infección, la medicina, la loción, los músculos, la resfriada, el epidémico, la emergencia, la oficina, los pacientes*

Structures: *¿Cuál es el problema? ¡Estoy muy mal! Me duele el (la) ____. Me duelen los (las) _______. Tienes una infección. Tengo comezón. Toma esta medicina. Ponte esa loción. No sé qué es.*

Cast: 5 Actors
ENFERMERA (Dr. DÁVILA's nurse)
Dr. DÁVILA
MARISA, DIEGO, PAULINA (ill patients)

Duration of performance: approximately 4 minutes

Optional Props/Sets: Dr. DÁVILA needs a pen and small pad of paper to write prescriptions, also three small lotion bottles (all of those "freebies" from hotels are perfect!)

Production Notes: The three patients should look generally miserable and should be scratching themselves piteously as they speak their lines.
Review additional body parts and ailments by writing roles for additional patients. Additional complaints could be among these: *Tengo calor. Tengo frío. Tengo tos. Me duele el estómago. Quiero vomitar. Estoy muy cansado todo el tiempo.*

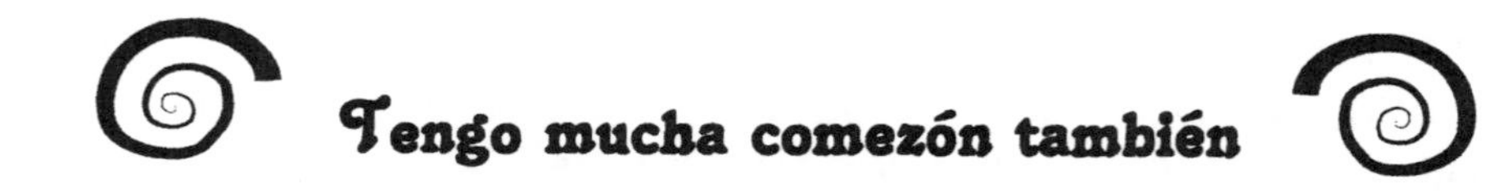

Tengo mucha comezón también

[It's not a typical day at the office because Dr. DÁVILA is mystified by his patients' complaints.]

ENFERMERA (Knocks on the door and steps into office): Dr. Dávila... Marisa Vega está aquí. *(ENFERMERA exits and MARISA enters)*

Dr. DÁVILA: ¡Marisa! Buenas tardes. ¿Cuál es tu problema?

MARISA *(Looks miserable):* ¡Ay, Dr. Dávila! ¡Estoy muy mal! Me duele la cabeza y la garganta. Y tengo mucha comezón también.

Dr. DÁVILA *(Examines MARISA's throat briefly):* Marisa, tienes una infección en la garganta. Toma esta medicina. *(He writes MARISA a prescription)* Y para la comezón... pues, no sé qué es... ponte esta loción. *(Dr. DAVILA gives MARISA a small bottle of lotion.)*

MARISA: Gracias, Dr. Dávila. Adiós. *(MARISA exits)*

ENFERMERA *(Knocks on the door and steps into office):* Dr. Dávila... Diego Ruíz está aquí. *(ENFERMERA exits and DIEGO enters)*

Dr. DÁVILA: ¡Diego! Buenas tardes. ¿Cuál es tu problema?

DIEGO: Estoy muy mal, Doctor. Me duele mucho la pierna y la rodilla derecha. Y tengo mucha comezón también.

Dr. DÁVILA *(Examines DIEGO's right leg and knee):* Diego, tus músculos están torcidos. Toma esta medicina. *(Dr. DÁVILA writes DIEGO a prescription.)* Y para la comezón... pues, no sé qué es... ponte esta loción. *(He gives DIEGO a bottle of lotion.)*

DIEGO: Muchas gracias, Dr. Dávila. Adiós. *(DIEGO exits)*

ENFERMERA *(Knocks on the door and steps into office):* Dr. Dávila... Paulina Vásquez está aquí. *(ENFERMERA exits and PAULINA enters)*

Dr. DÁVILA: ¡Paulina! Buenas tardes. ¿Cuál es tu problema?

PAULINA: Dr. Dávila, no estoy bien. Me duelen los ojos, las orejas y la nariz. Y tengo mucha comezón también.

Dr. DÁVILA *(Examines PAULINA):* Paulina, tienes un resfriado. Toma esta medicina. *(Dr. DÁVILA writes PAULINA a prescription.)* Y para la comezón... pues, no sé qué es... ponte esta loción. *(He gives PAULINA a bottle of lotion.)*

PAULINA: Gracias, Dr. Dávila. Adiós. *(PAULINA exits)*

Dr. DÁVILA *(Paces around his office, concerned):* ¡Qué raro! Algo está muy mal. Todos mis pacientes están mal... de la cabeza, la garganta, los ojos, las orejas, la nariz... de las piernas y las rodillas... y todos tienen comezón. ¿Qué pasa? ¿Es una epidémia? ¡Espero que no!

ENFERMERA *(Knocks gently at the door, peeks in):* ¿Dr. Dávila?

Dr. DÁVILA *(Distractedly):* Un momento, Graciela... *(Pacing, speaks to himself again)* ¿Es una emergencia nacional? ¿Qué pasa con mis pacientes? ¡Ay, ay, ay...! Estoy muy preocupado...

ENFERMERA *(Knocks again):* ¿Dr. Dávila?

Dr. DÁVILA *(Loudly, annoyed):* ¿Sí, Graciela? ¡Estoy muy ocupado! ¿Qué necesitas?

ENFERMERA *(Meekly):* Solamente quiero decirle, Doctor Dávila, que voy a mi casa ahora. No puedo estar más en la oficina hoy. Hay muchos mosquitos aquí y pues, ¡tengo mucha comezón!

Act 6: El cuerpo humano
Skit B: ¿Qué tienen en común?

Language Objectives:

Vocabulary: *las partes del cuerpo: la cabeza, los, ojos, la nariz, las orejas, la boca, la cara, el pelo, los brazos, las manos, los dedos del pie, las piernas, los hombros, el cuello, las rodillas*

Structures: *¿Qué tiene en común? Tienen ____. Tiene ____.*

Cast: 5 Actors

MAESTRA (a second grade teacher)

CARLOS, DIANA, PILAR (students)

Duration of performance: approximately 3 minutes

Optional Props/Sets: Two large posters or portraits: one of George Washington and one of Abraham Lincoln

Production Notes: The three students are not consciously trying to be obnoxious; for some unknown reason they are all simply historically illiterate and do not recognize the two American presidents on the posters.

¿Qué tienen en común?

[MAESTRA displays two portraits to the class; one of George Washington and the other of Abraham Lincoln.]

MAESTRA: Clase, estos dos hombres son muy importantes en la historia de los Estados Unidos. ¿Qué tienen en común?

CARLOS: ¡Los dos son hombres!

PILAR: ¡Los dos son hombres viejos!

CARLOS: Los dos tienen cabezas muy grandes.

DIANA: ¡Los dos tienen mucho pelo!

PILAR: Sí, pero uno tiene pelo negro y el otro tiene pelo gris.

MAESTRA: Sí, sí, tienen razón. Los dos son hombres y tienen mucho pelo, pero hay algo más importante... piensa en la historia de los Estados Unidos.

CARLOS: ¡Los dos tienen caras muy serias!

PILAR Tienen bocas serias también.

CARLOS: Y tienen ojos muy serios también.

DIANA: Y los dos tienen orejas grandes!

PILAR: Diana, *(Pointing to George Washington)* no vemos sus orejas porque su pelo es largo. Tú no sabes si sus orejas son grandes.

DIANA: Pues... probablemente son grandes.

MAESTRA *(Scandalized):* ¡Diana! ¡Hablas de las orejas del presi—! *(MAESTRA claps her hand over her mouth to stop from blurting out the answer)* Clase, repito: estos dos hombres son muy importantes en la historia de los Estados Unidos. *(Slowly and emphatically)* ¿Qué tienen en común?

CARLOS: ¡Los dos tienen cuellos!

PILAR: ¡Los dos tienen hombros!

DIANA: ¡Los dos tienen dos brazos y dos manos y diez dedos! ¡Y dos rodillas y dos piernas y diez dedos del pie!

PILAR: ¿Cómo sabes tú, Diana? ¿Ves los dedos de los pies?

DIANA: Pues, no. Pero todos tienen diez dedos en los pies.

CARLOS: Los peces no tienen dedos. Las víboras no tienen dedos. ¡Y los pájaros tampoco!

PILAR *(Tartly):* Los peces y las víboras y los pájaros no tienen dedos, Carlos, porque no tienen cuerpos humanos... son animales.

DIANA *(Thoughtfully):* Los pájaros tienen garras... son como dedos, más o menos. (Brightly) ¡Los monos tienen dedos!

MAESTRA: ¡Clase! ¡Por favor! Estos dos hombres son muy importantes en la historia de los Estados Unidos. ¿Qué tienen en común?

[All of the students are silent.]

MAESTRA *(Frustrated):* ¡Ay, clase! Estos dos hombres son muy importantes porque son los presidentes más famosos en la historia de los Estados Unidos. Éste es Jorge Washington – el presidente número uno... y éste el Abrám Lincoln – el presidente número dieciseis. Mírenlos. Son muy importantes. Muy famosos.

[The students regard the portraits silently.]

CARLOS *(Gasps suddenly, very excitedly):* ¡Maestra! ¡Maestra! ¡Yo sé! ¡Yo sé!

MAESTRA: ¿Qué, Carlos?

CARLOS: ¡Los dos tienen narices muy grandes!

MAESTRA: ¡Ay, esta clase...!

Act 6: El cuerpo humano

Skit C: ¡Mi niño está perdido!

Language Objectives:

Vocabulary: *las partes del cuerpo: los ojos, la nariz, el pelo, la boca, la cara, las orejas, las piernas, los dedos del pie, los brazos, las manos, los dedos, el cuerpo, la descripción, rubio(a), la camisa, la piscina*

Structures: *¡Mi hijo está perdido! Cálmese. ¿Tiene un(a) ____? Sí, tiene un(una) _____. ¡Por supuesto!*

Cast: 3 Actors

Sra. SANDOVAL (who is frantic because her child is lost)
AGENTE GUZMÁN (a sensible police officer)
AGENTE LOPEZ (a pompous and befuddled police officer)

Duration of performance: approximately 3 minutes

Optional Props/Sets: A white board and markers for AGENTE LOPEZ, a box of facial tissues, a chair for Sra. SANDOVAL

Production Notes: Although Sra. SANDOVAL is almost hysterical, she realizes that AGENTE LOPEZ's questions are idiotic. There must be a sharp contrast between the personalities of the sensible police officer and the clueless one.

¡Mi niño está perdido!

[Sra. SANDOVAL has a frantic conversation with two police officers because her little boy is lost.]

Sra. SANDOVAL *(Wringing her hands worriedly):* ¡Ayúdenme, por favor! ¡Mi hijo está perdido!

AGENTE GUZMÁN: Cálmese, señora, cálmese.

AGENTE LOPEZ: Vamos a encontrar a su hijo. Primero necesitamos información.

AGENTE GUZMÁN: Sí. ¿Cómo se llama su hijo?

Sra. SANDOVAL: Se llama Riqui. Riqui Sandoval.

AGENTE GUZMÁN: Describa a su hijo, por favor.

Sra. SANDOVAL: Pues, Riqui tiene pelo rubio y ojos azules y—

AGENTE LOPEZ: ¿Cuántos ojos tiene su hijo, Sra. Sandoval?

Sra. SANDOVAL: ¿Qué?

AGENTE LOPEZ *(Very seriously):* ¿Cuántos ojos tiene su hijo, Sra. Sandoval?

Sra. SANDOVAL: Tiene dos... dos ojos... dos ojos azules.

AGENTE LOPEZ *(Writes this on a big white board):* Dos ojos azules. ¿Qué más tiene en su cara? ¿Tiene una nariz?

Sra. SANDOVAL: ¡Por supuesto mi hijo tiene una nariz! ¿Qué pregunta es esta?

AGENTE LOPEZ *(Sternly):* Señora, necesitamos una buena descripción de su hijo.

AGENTE GUZMÁN: ¿Cuántos años tiene Riqui?

AGENTE LOPEZ: ¿Tiene una boca?

Sra. SANDOVAL *(Ignores AGENTE LOPEZ):* Riqui tiene seis años.

AGENTE LOPEZ *(Writes "boca" on the board with a big question mark)* Vamos a hablar de orejas. ¿Sra. Sandoval, tiene orejas su hijo?

Sra. SANDOVAL *(Frustrated, sobs):* ¡Por supuesto, Riqui tiene orejas! ¡Tiene dos orejas!

AGENTE LOPEZ: ¿Y las orejas de su hijo... son grandes como un elefante? ¿O son pequeñas como un ratoncito?

[Sra SANDOVAL sobs as AGENTE GUZMÁN offers her tissues and a chair]

AGENTE GUZMÁN: Cálmese, señora, siéntese, por favor. *(To AGENTE LOPEZ)* Agente Lopez, estas preguntas no son importantes.

AGENTE LOPEZ *(Sternly):* ¡Agente Guzmán, estas preguntas son ***muy*** importantes! Necesitamos mucha información. Ahora vamos a hablar del cuerpo de su hijo. ¿Tiene un cuerpo?

Sra. SANDOVAL: Sí, sí, sí... Mi hijo tiene un cuerpo. Tiene brazos, tiene manos, tiene piernas, tiene dedos...

AGENTE LOPEZ: ¿Cuántos bra–

AGENTE GUZMÁN *(Interrupting AGENTE LOPEZ):* Agente Lopez, estas preguntas son ridículas. *(To Sra. SANDOVAL)* ¿Qué lleva puesto hoy? De qué color es la camisa de Riqui, señora?

Sra. SANDOVAL: Es—

AGENTE LOPEZ: Un momento, Sra. Sandoval. ¿Cuántas piernas tiene su hijo?

Sra. SANDOVAL: ¡Dos, por supuesto! ¡Mi hijo tiene dos piernas y dos brazos!

AGENTE LOPEZ: ¿Y cuántos dedos?

Sra. SANDOVAL: ¡Diez! ¡Diez dedos de los pies y diez de las manos! ¡No más preguntas, por favor!

AGENTE GUZMÁN: Señora, ésta pregunta es muy importante. ¿De qué color es su camisa?

Sra. SANDOVAL: Riqui no lleva camisa hoy... porque está en la piscina con su papá. *(Suddenly stops crying)* ¡Oh! ¡Mi hijo no está perdido! ¡Está en la piscina con su papá! Todo está muy bien. Gracias, agentes. ¡Muchas, muchas gracias! Adiós. *(Sra. SANDOVAL exits)*

AGENTE LOPEZ: ¿Ves, agente Guzmán? ¡Las preguntas son muy importantes!

Act 7: "Tener ______"
Skit A: El gato hablador

Language Objectives:
Vocabulary: *hablador, el genio, deseo, el gato*
Structures: *"tener"* expressions: *Tengo (tienes) hambre. Tengo (tienes) sed. Tengo (tienes) dolor del estómago. Tengo (tienes) sueño. Tengo (tienes) calor. Tengo (tienes) frío.*

Cast: 3 Actors
GENIO (the kindly genie)
ELENA (a tender-hearted girl of any age who loves her cat)
SAMI (a typical cat, aloof and demanding)

Duration of performance: approximately 3 minutes

Optional Props/Sets: a food and water bowl, a bag of food, a bottle of water and a bottle of milk, a paper or plastic fish, a blanket for SAMI to sleep on

Production Notes: The student who plays SAMI must be willing to... well, be a cat. The more cat-like he is, (i.e. licking his paws, rubbing up against things) the funnier he will be. Poor ELENA bends over backwards trying to please SAMI, but to no avail.

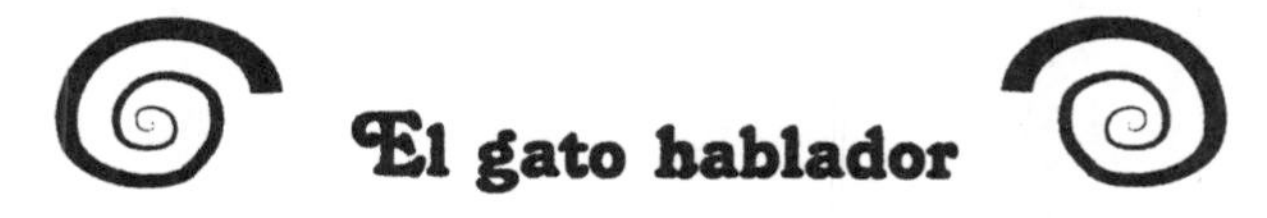

El gato hablador

[The genie grants ELENA one wish; she wishes for a talking cat!]

GENIO: Eres una niña muy simpática, Elena. Te doy ***un*** deseo.

ELENA: Gracias, Sr. Genio. Un deseo.... Hmmm... Yo quiero un gato hablador.

GENIO: ¡Un gato hablador! ¡Muy bien! *(Clicks his fingers)* ¡Ahora tu gato... habla! *(GENIO exits)*

ELENA *(Calling her cat):* ¡Sami! ¡Sami! ¿Dónde estás?

SAMI *(Enters, stretching):* Aquí estoy. ¿No me ves?

ELENA: ¡Sami! ¡Tú hablas! ¡Eres un gato hablador! ¡Estoy muy contenta!

SAMI: Tengo hambre.

ELENA: Sami, tú y yo vamos a hablar de muchas cosas... de las flores y de—

SAMI *(Petulantly)*: ¡Tengo hambre! Quiero comer.

ELENA *(Petting Sami on the head):* Sí, Sami. Aquí está tu comida. *(Pours cat food into a bowl)*

SAMI: ¡Yeeech! No quiero comida de gato. Quiero pescado. ¡Tengo mucha hambre!

ELENA: Muy bien, Sami. *(She puts a fish in his bowl.)*

SAMI: Gracias. *(He sniffs it disdainfully.)* Ya no tengo hambre... ahora tengo sed.

ELENA: Aquí está tu agua, Sami. *(She pours water into a bowl.)*

SAMI *(He sniffs the bowl):* No quiero agua. Quiero leche. ¡Tengo sed!

ELENA: Cuando tú tomas leche, Sami, siempre tienes dolor de estómago.

SAMI *(Hysterically):* ¡Tengo sed! ¡Tengo sed! ¡Tengo sed! ¡Quiero leche!

ELENA: Sí, Sami. *(She pours milk into the bowl. SAMI sniffs it, then laps up just a little bit.)*

SAMI: ¡Ay, tengo dolor! ¡Tengo dolor de estómago! *(Pause)* Ahora estoy bien.

ELENA: Ahora Sami, no tienes hambre y no tienes sed. Ahora vamos a hablar de muchas cosas... de mariposas y de—

SAMI: Tengo calor. Quiero salir.

ELENA: Pues, Sami, si tienes calor, vamos a salir. *(They open an imaginary door and go outside.)*

SAMI: Tengo frío. Quiero entrar.

ELENA: Pues, si tienes frío, Sami, vamos a entrar. *(They open the imaginary door and go inside.)* Sami, mi gatito precioso. Ahora vamos a hablar de muchas cosas... de ratoncitos y de—

SAMI: No. Ahora tengo sueño.

ELENA: Pero Sami, eres mi gatito querido. ¿No quieres hablar conmigo?

SAMI: No. Tengo mucho sueño. Quiero dormir. *(He stretches, then curls into a ball to sleep.)*

ELENA *(Wails):* ¡Pero Sami! *(She looks at SAMI sharply, then calls for the genie.)* ¿Genio? ¡Genio!

GENIO *(Enters):* ¿Sí, niña? ¿Qué deseas?

ELENA: ¡Genio, por favor, necesito un deseo más!

GENIO: Pues, eres una niña simpática, Elena, así que... te doy ***un*** deseo más.¿Qué deseas, niña?

ELENA: ¡Quiero un gato callado! ¡No quiero un gato hablador!

Act 7: "Tener _____"
Skit B: Los niños exploradores

Language Objectives:

Vocabulary: *los niños exploradores, la caminata, marchar, la mochila, el teléfono cellular, los sándwiches, [estar] perdido, [estar] preparado*

Structures: *the verb "tener:" Yo (no) tengo, tú (no)tienes, él/ella (no) tiene, nosotros (no) tenemos, ustedes/ellos/ellas (no) tienen ¿Tienes ____?*
"tener" expressions: tener calor, tener frío, tener sueño, tener dolor, tener hambre, tener sed, tener miedo , tener suerte

Cast: 5 Actors

Don ALFONSO (the boys' enthusiastic adult leader and guide)
FEDERICO, MARIO, PEPITO (dutiful, enthusiastic young scouts)
ARTURITO (a timid scout, thinks for himself, albeit meekly)

Duration of performance: approximately 5 minutes

Optional Props/Sets: ARTURITO needs a backpack containing five sandwiches and a cell phone, all actors *may* have hiking supplies such as uniforms, walking sticks and backpacks

Production Notes: The chant that Don ALFONSO leads his boys on is the typical sing-songy military chant; at the end they *may* count off. Don ALFONSO is followed by FEDERICO, then MARIO and PEPITO, while ARTURITO always stays timidly at the end of the line. You may make the skit longer (and add the 3rd person singular of *tener*,) by having one boy always say, *"Don Alfonso, Arturito tiene calor..." etc.* The skit may end with the boys carrying ARTURITO off like a hero.

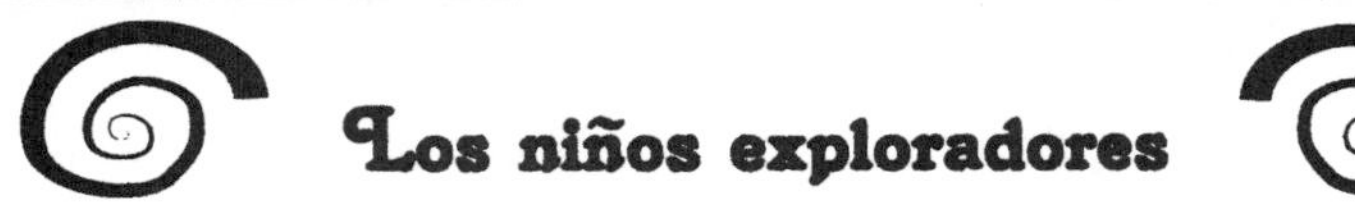

Los niños exploradores

[Scout leader, Don ALFONSO, is taking his young boys on a hiking trip to the mountains, but one boy, ARTURITO, is very insecure about the outing.]

Don ALFONSO: ¡Muchachos! ¿Están listos para la caminata a las montañas?

NIÑOS EXPLORADORES *(Together):* ¡Sí, Don Alfonso!

Don ALFONSO: ¡Vámonos!

[ALL begin marching around the room in single file, with Don ALFONSO in the lead.]

ARTURITO: ¿Don Alfonso? ¿Cuántas horas vamos a marchar?

Don ALFONSO: ¿Quién sabe, Arturito? ¡No importa! Somos niños exploradores! ¡Vamos a cantar! *(As they march, Don ALFONSO leads the boys in a chant)*

Don ALFONSO: No tengo calor, no tengo frío.
NIÑOS EXPLORADORES: *(Repeat):* No tengo calor, no tengo frío.
Don ALFONSO: Quiero descubrir un río.
NIÑOS EXPLORADORES: *(Repeat):* Quiero descubrir un río. *(Repeat entire chant)*

Don ALFONSO *(Calls back)*: ¿Tienes calor, Federico?

FEDERICO: ¡No, señor! ¡No tengo calor!

Don ALFONSO *(Calls back):* ¿Tienes calor, Mario?

MARIO: ¡No, señor! ¡No tengo calor!

Don ALFONSO *(Calls back):* ¿Tienes calor, Pepito?

PEPITO: ¡No, señor! ¡No tengo calor!

Don ALFONSO *(Calls back):* ¿Tenemos calor, muchachos?

NIÑOS EXPLORADORES: ¡No señor! ¡No tenemos calor!

ARTURITO *(In a meek voice):* Yo sí, Don Alfonso. Yo tengo mucho calor.

Don ALFONSO: No, Arturito, no tienes calor. ¡Eres un niño explorador! ¡Vamos a cantar! *(Don ALFONSO leads the boys in another military chant)*

Don ALFONSO: No tengo sueño, no tengo dolor.
NIÑOS EXPLORADORES: *(Repeat):* No tengo sueño, no tengo dolor.
Don ALFONSO: Nunca como coliflor.
NIÑOS EXPLORADORES: *(Repeat):* Nunca como coliflor. *(Repeat chant)*

Don ALFONSO *(Calls back):* ¿Tienes dolor, Federico?

FEDERICO: ¡No, señor! ¡No tengo dolor!

Don ALFONSO *(Calls back):* ¿Tienes dolor, Mario?

MARIO: ¡No, señor! ¡No tengo dolor!

Don ALFONSO *(Calls back):* ¿Tienes dolor, Pepito?

PEPITO: ¡No, señor! ¡No tengo dolor!

Don ALFONSO *(Calls back):* ¿Tenemos dolor, muchachos?

NIÑOS EXPLORADORES: ¡No señor! ¡No tenemos dolor!

ARTURITO *(Meekly):* Yo sí, Don Alfonso. Yo tengo dolor. Tengo dolor de los pies.

Don ALFONSO: No, Arturito, no tienes dolor. ¡Eres un niño explorador! ¡Vamos a cantar! *(Don ALFONSO leads the boys in yet another chant)*

Don ALFONSO: No tengo hambre, no tengo sed.
NIÑOS EXPLORADORES: *(Repeat):* No tengo hambre, no tengo sed.
Don ALFONSO: Soy más fuerte que usted.
NIÑOS EXPLORADORES: *(Repeat):* Soy más fuerte que usted. *(Repeat chant)*

Don ALFONSO *(Calls back):* ¿Tienes sed, Federico?

FEDERICO: ¡No, señor! ¡No tengo sed!

Don ALFONSO *(Calls back):* ¿Tienes sed, Mario?

MARIO: ¡No, señor! ¡No tengo sed!

Don ALFONSO *(Calls back):* ¿Tienes sed, Pepito?

PEPITO: ¡No señor! ¡No tengo sed!

Don ALFONSO *(Calls back):* ¿Tenemos sed, muchachos?

NIÑOS EXPLORADORES: ¡No señor! ¡No tenemos sed!

ARTURITO *(Meekly):* Yo sí, Don Alfonso. Yo tengo sed. Yo quiero tomar agua.

Don ALFONSO: No, Arturito, no tienes sed. ¡Eres un niño explorador! *(Don ALFONSO stops suddenly and looks around)* Niños, ¿dónde estamos?

NIÑOS EXPLORADORES *(All stop):* No sabemos, Don Alfonso. ¿Dónde estamos?

Don ALFONSO: No sé. Esta mos perdidos en las montañas. Vamos a sentarnos.

[All sit down glumly]

FEDERICO *(Looking scared):* Don Alfonso, tengo miedo.

MARIO *(Looking like he is going to cry):* Don Alfonso, tengo sueño.

PEPITO: Don Alfonso, tengo frío.

NIÑOS EXPLORADORES: ¡Don Alfonso, tenemos hambre!

Don ALFONSO *(Robustly):* ¡Somos niños exploradores! ¡No tenemos hambre!

NIÑOS EXPLORADORES *(Protest):* Sí, Don Alfonso. ¡Tenemos mucha hambre! Tenemos sueño. Tenemos frío. Tenemos miedo.

ARTURITO *(Meekly):* ¿Don Alfonso? En mi mochila hay sándwiches. Tengo sandwiches para todos. *(ARTURITO distributes sandwiches to ALL)*

NIÑOS EXPLORADORES: ¡Gracias, Arturito!

Don ALFONSO *(Sourly):* Pero todavía estamos perdidos en las montañas.

ARTURITO *(Meekly):* ¿Don Alfonso? En mi mochila... tengo... mi teléfono cellular.

Don ALFONSO: ¿Es verdad? ¿Tienes tu teléfono cellular?!

ARTURITO: Sí.

Don ALFONSO: ¡Muchachos! ¡Tenemos mucha suerte! Arturito tiene un teléfono cellular! ¡Bravo, Arturito!

NIÑOS EXPLORADORES: ¡Bravo, Arturito! *(EXPLORADORES hug ARTURITO, pat him on the back, etc.)*

Don ALFONSO *(With a big smile):* ¿Ven, muchachos? ¡Un niño explorador siempre está preparado! ¡Vamos a cantar!

Don ALFONSO: Vamos a echar un grito.
NIÑOS EXPLORADORES: *(Repeat):* Vamos a echar un grito.
Don ALFONSO: ¡Gracias a Arturito!.
NIÑOS EXPLORADORES: ¡Gracias a Arturito! *(Repeat the entire chant)*

Act 7: "Tener ______"

Skit C: El mejor hipnotizador del mundo

Language Objectives:

Vocabulary: *el hipnotizador, el hipnotismo, hipnotizar, la broma, cerrar, castañetear, la galleta, la mariposa, vuelas* (from the verb *"volar"*)

Structures: review of *"tener"* expressions from Skits A & B

Cast: 6 Actors

MARCOS (the novice hypnotist)

OCTAVIO, NORMA, DORA, SALVADOR (skeptical, but easily convinced classmates)

MAESTRO (an angry teacher)

Duration of performance: approximately 4 minutes

Optional Props/Sets: MARCOS needs a watch on a chain, a piece of notebook paper, a large (very clean (!) and empty) trashcan.

Production Notes: Chaos is the name of the game in this skit. Make sure you have an audience to enjoy the hypnotic frenzy. To make the skit longer and add more *"tener"* expressions, you could add these additional roles:

* *"tener razón"* The student continuously writes correct equations on the board.
* *"tener mala suerte"* and *"tener dolor"* The student keeps running into desks and walls.

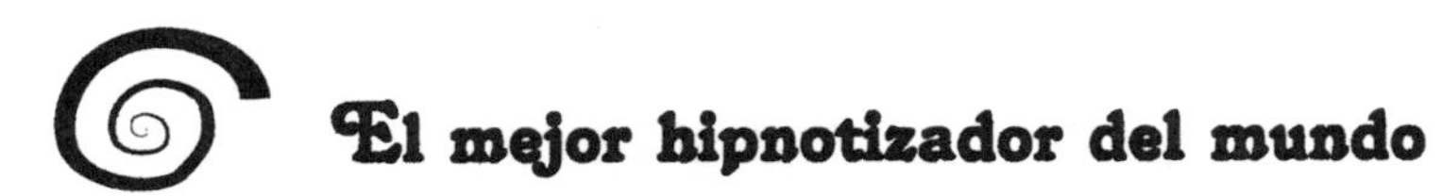

El mejor hipnotizador del mundo

[MARCOS has been studying hypnotism and tries his new skills out on his friends.]

MARCOS: ¡Yo soy Marcos el Magnífico! ¡Soy el mejor hipnotizador del mundo!

NORMA *(Scoffs):* ¡Ay, Marcos! ¡Tú y tus bromas!

MARCOS: Es la verdad. Estudio el hipnotismo.

OCTAVIO: ¿Sí? ¿Por qué no nos hipnotizas a nosotros entonces?

MARCOS: Muy bien. Siéntense. *(OCTAVIO, DORA, NORMA, SALVADOR sit down)* ¿Están cómodos?

OCTAVIO, DORA, NORMA, SALVADOR: *(Nod their heads)* Sí, Marcos.

MARCOS: ¡Bien! Vamos a empezar. ¡Miren mi reloj! *(He swings a watch on a chain)* Sus ojos siempre miran mi reloj. Tienen sueño. Tienen mucho sueño. Quieren dormir... Sus ojos quieren cerrarse. *(ALL close their eyes)* Bien. Voy a castañetear mis dedos. Luego ustedes van a abrir sus ojos. Tres... dos... ¡uno! *MARCOS snaps his fingers and everyone's eyes open wide.)* Octavio, ¿cómo estás?

OCTAVIO: Estoy bien.

MARCOS: No, Octavio, no estás bien. Tienes mucha hambre.

OCTAVIO *(Grabs his belly)* ¡Ay, no estoy bien! Tengo mucha hambre.

MARCOS: *(MARCOS offers OCTAVIO a sheet of notebook paper)* Pues, ésta es una galleta de chocolate, Octavio. ¡Cómela!

OCTAVIO: ¡Una galleta! *(He tears the paper into pieces and starts to chew them.)* Mmmm. ¡Me gusta el chocolate! *(OCTAVIO continues eating noisily as MARCOS moves to DORA.)*

MARCOS: Dora ¿cómo estás?

DORA: Estoy bien, Marcos.

MARCOS: No, Dora, no estás bien. Tienes mucha sed.

DORA *(Grabs her throat, gasps):* ¡Ay, no estoy bien! Tengo mucha sed.

MARCOS: ¿Quieres agua, Dora? Aquí está un vaso, Dora. *(MARCOS offers DORA an empty trashcan)* ¡Este es un vaso de agua fresca, Dora! ¡Tómalo!

DORA: ¡Agua! *(She drinks noisily from the trashcan as MARCOS moves to NORMA.)*

MARCOS: Norma ¿cómo estás?

NORMA: Estoy bien, gracias.

MARCOS: No, Norma, no estás bien. Eres una mariposa y tienes miedo del pájaro.

NORMA: ¡Ay, tengo miedo! ¡Tengo miedo! ¡El pájaro quiere comerme!

MARCOS *(Suggests):* Si tú vuelas, Norma, el pájaro no puede comerte.

[NORMA flaps her butterfly wings and "flies" around the room, stopping briefly in places]

MARCOS: Salvador ¿cómo estás?

SALVADOR: Estoy bien.

MARCOS: No, Salvador, no estás bien. Tienes mucho frío. Estás en Antártica. Hay mucha nieve y es difícil caminar. Tienes frío.. y buscas a tu perro.

SALVADOR *(Shivers uncontrollably and starts trudging miserably around the room):* ¡Tengo frío! ¡Tengo mucho frío! ¿Bandido, dónde estás? ¡Bandido, te necesito!

[OCTAVIO is still eating paper, DORA is still drinking from the trashcan, NORMA is still flitting around the room and SALVADOR is trudging around, freezing. MARCOS crosses his arms and looks at them, nodding and smiling, satisfied.]

MARCOS: ¡Ahora, amigos, voy a castañetear mis dedos y ustedes van a despertarse! *(Tries to snap his fingers, but can't! Keeps trying unsuccessfully as his friends' actions become more and more frenzied. Marcos is frightened)* ¡Tengo miedo! ¡No puedo castañetear mis dedos!

MAESTRO *(Enters the room, looks around with consternation and surprise):* ¿Qué pasa aquí? *(The students continue their strange actions.)*

MAESTRO *(Loudly):* ¿Qué pasa aquí? *(Angrily, MAESTRO snaps his fingers once after calling each student. Each stops moving immediately and once again becomes a normal student after hearing the snap and his or her name.)* ¡Salvador! ¡Norma! ¡Dora! ¡Octavio! ¿Qué pasa aquí?

DORA *(Rolling her eyes disparagingly):* ¡Ay, es Marcos, Maestro!

SALVADOR: Él estudia el hipnotismo.

OCTAVIO *(Scoffs):* Quiere hipnotizarnos a nosotros.

NORMA: ¡Qué ridículo! ¡Ay, Marcos! ¡Tú y tus bromas!

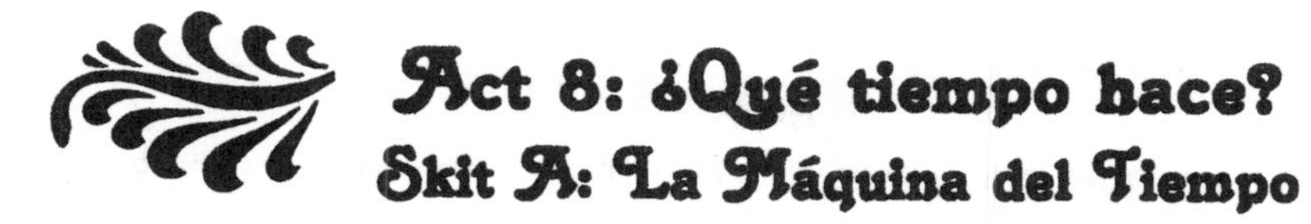

Act 8: ¿Qué tiempo hace?
Skit A: La Máquina del Tiempo

Language Objectives:

Weather vocabulary and structures: *Hace buen tiempo. Hace mal tiempo. Hace sol. Hace calor. Está lloviendo. Está nevando. Hace viento. Hace frío. Está nublado. el hielo*

Additional vocabulary: *el experimento, la Máquina del Tiempo, cambiar, oprimir, escoger, el botón, la clase de ciencias, el proyecto,*

Cast: 4 Actors

GABRIEL (the brilliant student inventor)
MAESTRA (the skeptical science teacher)
MARISELA and PONCHO (impressed classmates)

Duration of performance: approximately 4 minutes

Optional Props/Sets: GABRIEL needs an interesting and ornate "Máquina del Tiempo" [a "Weather Machine"] It may be made out of a cardboard box with lots of colorful buttons, icons, arrows and dials. A large fan is necessary at the back of the room. MAESTRA, GABRIEL and MARISELA need loose papers for the fan to blow around.

Production Notes: GABRIEL is a mixture of earnestness and smugness. While MAESTRA is understandingly skeptical, the students believe 100% in GABRIEL's brilliance. The skit may be extended by having GABRIEL press additional weather phenomenon buttons, and the students reacting to other weather conditions as *"Hace frío," "Hace calor,"* and *"Está lloviendo"*.

La Máquina del Tiempo

[GABRIEL displays his unusual science project to the class.]

MAESTRA: Gracias, Marisela. Tu experimento con las plantas de tomates y coca cola es muy interesante. Ahora... Gabriel.... ¿qué traes tú?

GABRIEL *(Lugging a large cardboard box to the front of the classroom):* Tengo una Máquina del Tiempo.

MAESTRA *(Bemused):* ¿Una Máquina del Tiempo, Gabriel? ¿Qué hace tu máquina?

GABRIEL *(Proudly):* Mi máquina cambia el tiempo, maestra.

MAESTRA: Gabriel, esto es imposible.

GABRIEL: No, maestra. Oprimo este botón... *(He points to the "rain" button)* ... y está lloviendo. Oprimo este botón... *(He points to the "snow" button)* ... y está nevando.

MAESTRA: Gabriel, esto es ridículo.

MARISELA: Gabriel, ¿qué tiempo hace cuando oprimes el botón con el sol?

GABRIEL: Pues, entonces hace sol... y hace calor también.

MARISELA: Me gusta el sol y el calor.

PONCHO: Gabriel, ¿qué tiempo hace cuando oprimes el botón con el hielo?

GABRIEL: ¡Entonces, hace frío!

PONCHO: ¡Me gusta el frío!

MAESTRA *(Sternly):* Gabriel, esto es suficiente. ¡Dame ese proyecto! Tu calificación es una "F". Esta es la clase de ciencias. ¡No es la clase de fantasías! *(MAESTRA grabs the box, inadvertently pressing the "wind" button. The wind [a large fan] begins blowing papers around, MAESTRA panics)* ¡Ay! ¿Qué pasa?

GABRIEL: ¡Maestra, usted oprime el botón del viento!

PONCHO: ¡Hace viento!

MARISELA: ¡Ay, mi pelo!

MAESTRA: ¡Ay, mis papeles!

PONCHO: ¡Me gusta el viento!

GABRIEL: ¡Rápido, maestra! ¡Oprima el botón de "Hace buen tiempo"!

MAESTRA: ¿Cuál botón es ese, Gabriel?

GABRIEL: El botón con la cara feliz.

[MAESTRA pushes the "Smiley face" button and the fan stops blowing. Everyone is quiet, looking at GABRIEL and the weather machine in amazement.]

MAESTRA: Es increíble, Gabriel. ¡Tienes una Máquina del Tiempo!

GABRIEL *(Proudly):* Sí, maestra. Hay muchos botones. *(He points to each)* Hace buen tiempo. Hace mal tiempo. Hace sol. Hace frío. Hace viento. Está nublado. Está nevando. *(Announces to the class)* Y ahora, para mi proyecto de ciencias, quiero hacer una demostración con mi Máquina del Tiempo. Marisela, escoge un botón, por favor.

MARISELA: Quiero... "¡Está lloviendo!"

MAESTRA *(Quickly):* ¡No, no, no, no, no! Gabriel, tu proyecto es excelente! ¡Es estupendo! Tu calificación es una "A".

GABRIEL: Ay, Maestra, esto no es nada. ¡Mañana traeré otra Máquina... es mi Máquina de los Dinosaurios!

Act 8: ¿Qué tiempo hace?
Skit B: Las fotos de mi viaje

Language Objectives:

Weather vocabulary and structures: *Está lloviendo. Hace buen tiempo. Hace fresco. Hace sol. Hace calor. Hace viento. Hace frío. Está nublado. Hay neblina.*

Additional vocabulary: *Monterrey, las fotos, el viaje, la(s) montaña(s), la Cola de Caballo, la cámara, la Zona Rosa, un restaurante típico, el mercado, el centro, el tráfico, el cielo, el desierto, la cueva, calvo(a), el regalo*

Cast: 4 Actors

DELIA (the sweet-natured but less than stellar photographer)

CECILIA, EVANGELINA, LAURA (DELIA's close friends)

Duration of performance: approximately 4½ minutes

Optional Props/Sets: 5 photos (the actual pictures are not seen by the audience), a table, a camera, 5 little Mexican handicraft gifts (such as pottery, bead necklaces, dolls, etc.)

Production Notes: DELIA always describes the photo and her happy times with her father enthusiastically, and is always surprised, disappointed and/or miffed when her friends have her look at the photo and she realizes that the quality is awful.

This skit is very simple to extend; add additional photos of different tourist sites in Monterrey, and believable weather conditions or situations that would impede the outcome of poor DELIA's photos.

Combine this skit with a cultural unit on interesting places to go and fun things to do in scenic Monterrey, Mexico.

Las fotos de mi viaje

[DELIA shows photos of her recent trip to Monterrey, Mexico to her friends, CECILIA, EVANGELINA and LAURA.]

CECILIA: Delia, ¿tienes las fotos de tu viaje a Monterrey?

DELIA: Sí, claro. ¿Quieres verlas? Aquí están. *(DELIA pulls out a stack of photos)* Aquí estamos, papá y yo en las montañas.

LAURA: No veo nada, Delia.

DELIA: Pues, estamos en una montaña muy famosa que se llama Cola de Caballo. Es muy bonito. ¡Subimos la montaña en burro!

LAURA: Pero no veo nada en la foto.

DELIA: A ver... *(Looks at the photo)* Ajá, me acuerdo... está lloviendo. Está lloviendo muy fuerte. Hay neblina también y por eso la foto no es muy clara. *(She places that photo face down.)* Otra foto... *(Shows the next photo)* Aquí estamos en un restaurante típico.

CECILIA: No veo nada, Delia.

DELIA: ¿No? Pues, es un restaurante muy famoso en la Zona Rosa. Se llama Señor Papagayo. Es de noche y hace mucho frío.

CECILIA: Pero no veo nada.

DELIA: A ver... *(Looks at the photo)* Mmmmm, tienes razón. Pues, hace mucho frío y llevo mi abrigo. Creo que mi abrigo cubre la cámara. ¡Qué lástima! *(She places that photo face down too.)* ¡Pero mira esta foto! Estamos en el mercado de Monterrey. ¡Ay, qué divertido!

LAURA: No veo nada, Delia.

DELIA *(Impatiently):* Estamos en el mercado. Papá y yo llevamos enormes sombreros mexicanos.

LAURA: Delia, no veo nada.

DELIA *(Annoyed):* A ver... ¡Ay, qué lástima! ¿Qué pasó? Oh, yo sé. Hace mucho calor y mucho sol. Demasiado sol porque es el mediodía . Es por eso que la foto es completamente blanca. Lo siento mucho. *(She places that photo with the other face-down photos)* Pero mira... otra foto. Aquí estamos Papá y yo en el centro. ¡Hay mucho tráfico en Monterrey!

EVANGELINA: No te veo en la foto, Delia.

DELIA: ¡Pero sí! Hay mucho tráfico y papá y yo comemos mangos deliciosos.

EVANGELINA *(Peering hard at the photo):* Veo algo... ¿pero qué es? ¿Es el cielo? ¿Está nublado?

CECILIA *(Commenting on the photo):* Sí, es el cielo, y está nublado.

DELIA: A ver... *(Looks at the photo)* Ajá, me acuerdo. Hay mucho viento... muchísimo viento... y la cámara se mueve y por eso, pues, la foto es del cielo. ¡Qué lástima! *(She places the photo with the others)* Tengo una foto más. Aquí estamos en el desierto cerca de Monterrey. Hace sol y hace calor, pero hace buen tiempo.

LAURA: ¡Finalmente hace buen tiempo!

CECILIA: No veo nada, Delia.

DELIA *(Insisting):* ¡Pero sí! Estamos en el desierto. Visitamos una cueva muy interesante. Adentro de la cueva hace fresco pero afuera hace buen tiempo y estamos muy contentos.

EVANGELINA: Pues, veo algo... ¿Qué es? ¿Es la cabeza de un hombre quizás? ¿Un hombre calvo?

DELIA: A ver... *(Looks at the photo)* ¡Ay, qué mala suerte! La foto es perfecta. No está lloviendo. No hace mal tiempo. ¡Y un hombre calvo está frente a mi cámara! ¡Que malas fotos tengo! No sirven para nada. *(Sighs)* Bueno, ni modo. Amigas, ¡tengo regalos para ustedes de Monterrey! *(She distributes small typical Mexican handicraft gifts to her friends)*

CECILIA: ¡Gracias, Delia!

LAURA: ¡Me encanta mi regalo! Gracias, Delia.

EVANGELINA: ¡Qué amable eres, Delia!

DELIA *(She grabs her camera):* De nada. Y ahora, ¡júntense! ¡Quiero tomar una foto de ustedes, mis amigas, con sus regalitos de mi viaje a Monterrey!

CECILIA, LAURA, EVANGELINA *(Loudly and firmly, taking the camera away):* **¡¡¡NO!!!**

Act 8: ¿Qué tiempo hace?

Skit C: El reportero nuevo

Language Objectives:
Weather vocabulary and structures: *Está lloviendo. Hace buen tiempo. Está húmedo. Hace sol. Hace calor. Hace viento. Hace frío. Está nublado. Hay neblina.*
Additional vocabulary: *el reportero, la temperatura, las noticias, el canal, la ciudad, la gente, Japón, el terremoto*

Cast: 3 Actors
Sr. MARCADO (the Weather Channel manager)
LETICIA (the attractive assistant who points to locations on the weather map)
JAIME BAZÁN (the debonair outspoken and tactless new weather reporter)

Duration of performance: approximately 5½ minutes

Optional Props/Sets: an anchor desk, two large maps – one of Texas and one of the United States which are mounted on the wall behind JAIME, (optional) a pointer for LETICIA

Production Notes: JAIME may shuffle papers at his anchor desk, and, since his has such a large role, these papers may actually be his script! JAIME must always remember to pause in his reports to give LETICIA time to strike a pose and point at the map.

El reportero nuevo

[JAIME, the new weather reporter, may not be exactly what Canal Tiempo wants.]

Sr. MARCADO: Leticia, quiero presentar a Jaime, nuestro nuevo reportero del tiempo. Viene de Atlanta, Georgia *(To JAIME)* Jaime, bienvenido a Houston, Texas.

LETICIA *(Shakes JAIME's hand):* Mucho gusto, Jaime. Tú y yo vamos a trabajar juntos.

JAIME *(Charmingly):* Leticia, el placer es mío.

Sr. MARCADO: Jaime, tú te sientas aquí para hacer el reporte del tiempo. Leticia se para detrás de tí para mostrar el mapa de los Estados Unidos. ¿Está bien?

JAIME: Perfecto.

Sr. MARCADO: Bien. Las noticias empiezan en dos minutos más. ¡Todos a sus lugares!

[JAIME sits in his chair behind the anchor desk looking official, and LETICIA stands poised at the maps mounted on the wall behind him.]

Sr. MARCADO: Cinco... cuatro... tres... dos... ¡uno!

JAIME *(To the camera in a confident, friendly voice):* Buenas tardes. Soy Jaime Bazán, su nuevo reportero aquí en Canal Tiempo. Vamos a ver qué hay de interesante en el tiempo en nuestra area.

LETICIA *(Poses, smiles, points to Houston on the map)*

JAIME: Bueno, en Houston hoy hace mucho calor. Hace mucho sol también. La temperatura está a 96° ahora pero en la tarde la temperatura va a subir a 99°. ¡Whew! ¡Qué horrible! ¿Cómo aguantan ustedes este calor? ¡Y está húmedo también! Quiero cambiar mi camisa cada hora. Probablemente ustedes tienen muchos problemas con los mosquitos aquí, ¿verdad?

[Sr. MARCADO waves his arms frantically, making "cut" signals, trying to stop JAIME from talking.]

LETICIA: Y ahora, unas breves palabras de nuestro patrocidador... *(Frozen smile until they're off the air)*

JAIME *(Innocently):* ¿Qué pasa? ¿Hay un problema?

Sr. MARCADO *(Livid, mimics JAIME):* ¿Hay un problema? ¡Claro que sí hay un problema! ¡No puedes insultar a la gente de Houston!

JAIME: ¿Cómo los insulto?

Sr. MARCADO: ¡Dices que hace mucho calor, y que está húmedo!

JAIME: Pues, es la verdad.

Sr. MARCADO: Es la verdad, pero no puedes expresar tus opiniones. Insultas a nuestra ciudad. ¡Ay, ay, ay! Cinco segundos para empezar otra vez! Cinco... cuatro... tres... dos... ¡uno!

JAIME *(To the camera):* Buenas tardes. Soy Jaime Bazán, su nuevo reportero aquí en Canal Tiempo. Vamos a ver qué hay de interesante del tiempo en nuestra area.

LETICIA *(Poses, smiles, points to Houston on the map)*

JAIME: Bueno, estoy contento de poder decirles que hoy en Houston no hace mucho calor. Hace fresco y hay viento... si ustedes soplan mucho. *(Demonstrates blowing air)* Hace buen tiempo. La temperatura está a 96° pero podría ser peor. Por ejemplo hoy en el Desierto Sahara está a 112°.

[Sr. MARCADO waves his arms frantically again, making "cut" signals.]

JAIME *(Innocently):* ¿Qué?

Sr. MARCADO ¡Insultas a nuestra ciudad de Houston otra vez!

JAIME: ¿Cómo?

Sr. MARCADO: Dices que es peor en el Desierto Sahara.

JAIME: ¿No es la verdad?

Sr. MARCADO: No... sí... ¡Ay, no digas nada de Houston! ¡Cinco segundos, todos! Cinco... cuatro... tres... dos... ¡uno!

JAIME *(To the camera):* Buenas tardes. Soy Jaime Bazán, su nuevo reportero aquí en Canal Tiempo. Ya no vamos a hablar del tiempo en Houston. *(LETICIA stares at him confused, Jaime begins to speak so fast that LETICIA has trouble finding the right locations on the USA map)* Bueno... hoy en Seattle está lloviendo, en Boston está nevando, en San Fransisco hay neblina, en Chicago está nublado, en Denver hace buen tiempo, en Boise hace frío, en Florida hace mal tiempo...

Sr MARCADO *(Groaning, holds his head):* No, No, no, no, no...

JAIME: ¿Saben ustedes dónde el tiempo es muy interesante? *(Pause, LETICIA looks stricken)* ¡En Japón! En Japón hay un terremoto grande. Leticia, muéstranos un mapa de Japón.

LETICIA *(Hisses):* ¡No tengo un mapa de Japón! Es un reporte del tiempo en los Estados Unidos! *(Hisses to Sr. MARCADO)* ¡Este joven está loco!

[Sr. MARCADO waves his arms frantically again, making "cut" signals.]

JAIME *(Innocently):* ¿Qué?

Sr. MARCADO *(Angrily and ominously):* Ven acá, por favor. *(Sr. MARCADO huddles with LETICIA and JAIME, whispering. JAIME exits in a huff. LETICIA goes to sit at the anchor desk, rubbing her temples)*

Sr. MARCADO: ¡Cinco segundos, todos! Cinco... cuatro... tres... dos... ¡uno!

LETICIA *(Pulls herself together suddenly, speaks brightly to the camera):* Buenas tardes. Soy Leticia Leal, su nuevo reportero aquí en Canal Tiempo. Vamos a ver qué hay de interesante en el tiempo en nuestra area.

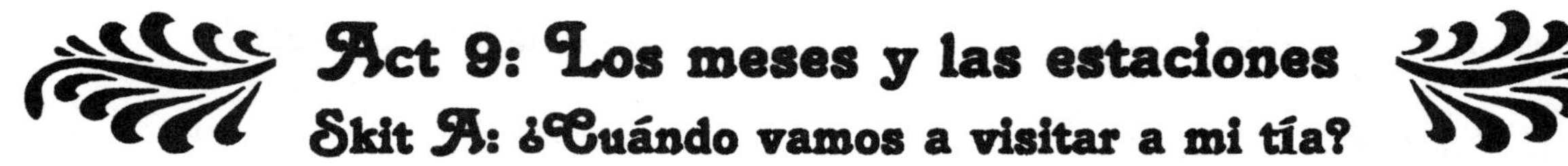

Act 9: Los meses y las estaciones
Skit A: ¿Cuándo vamos a visitar a mi tía?

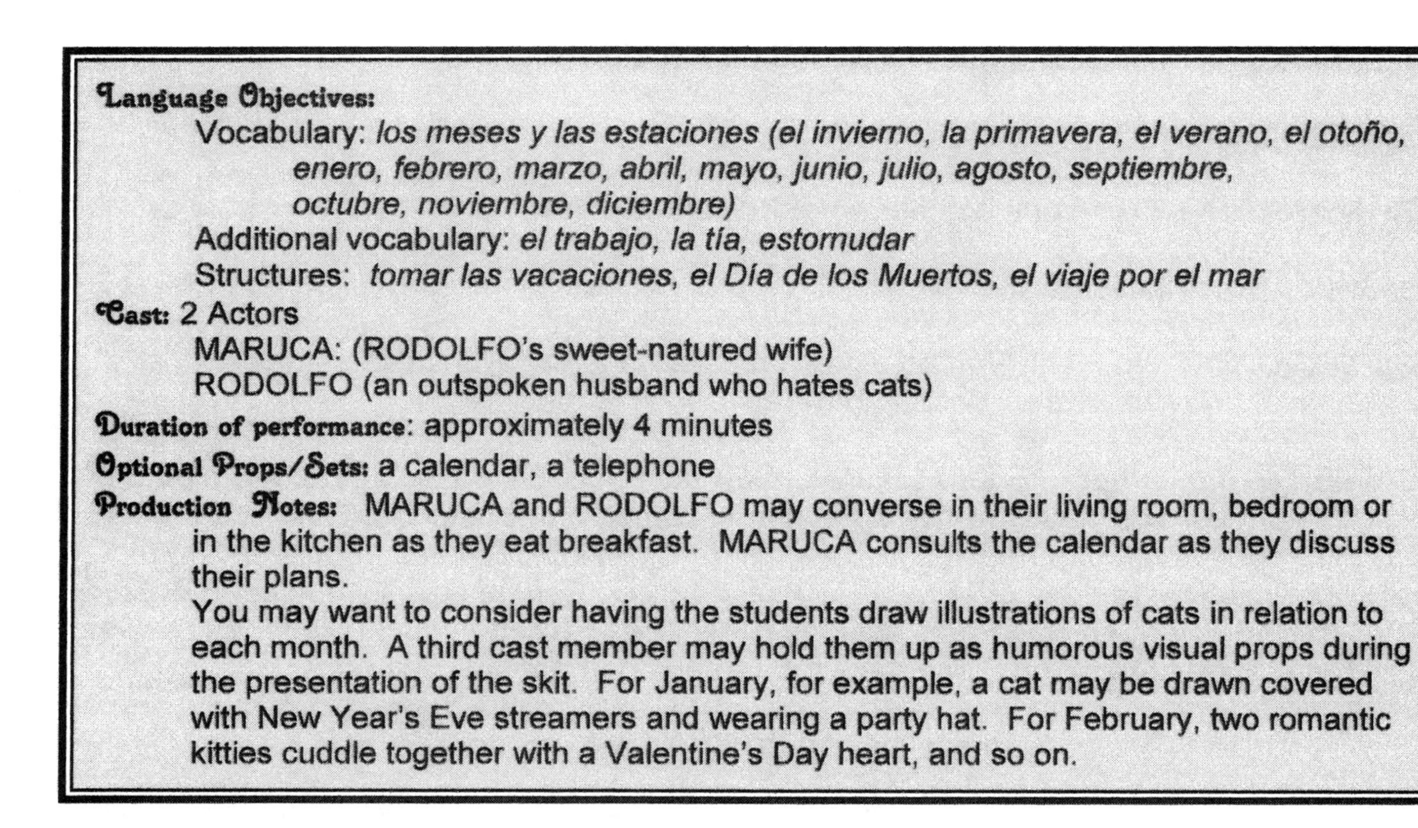

Language Objectives:

Vocabulary: *los meses y las estaciones (el invierno, la primavera, el verano, el otoño, enero, febrero, marzo, abril, mayo, junio, julio, agosto, septiembre, octubre, noviembre, diciembre)*

Additional vocabulary: *el trabajo, la tía, estornudar*

Structures: *tomar las vacaciones, el Día de los Muertos, el viaje por el mar*

Cast: 2 Actors

MARUCA: (RODOLFO's sweet-natured wife)

RODOLFO (an outspoken husband who hates cats)

Duration of performance: approximately 4 minutes

Optional Props/Sets: a calendar, a telephone

Production Notes: MARUCA and RODOLFO may converse in their living room, bedroom or in the kitchen as they eat breakfast. MARUCA consults the calendar as they discuss their plans.

You may want to consider having the students draw illustrations of cats in relation to each month. A third cast member may hold them up as humorous visual props during the presentation of the skit. For January, for example, a cat may be drawn covered with New Year's Eve streamers and wearing a party hat. For February, two romantic kitties cuddle together with a Valentine's Day heart, and so on.

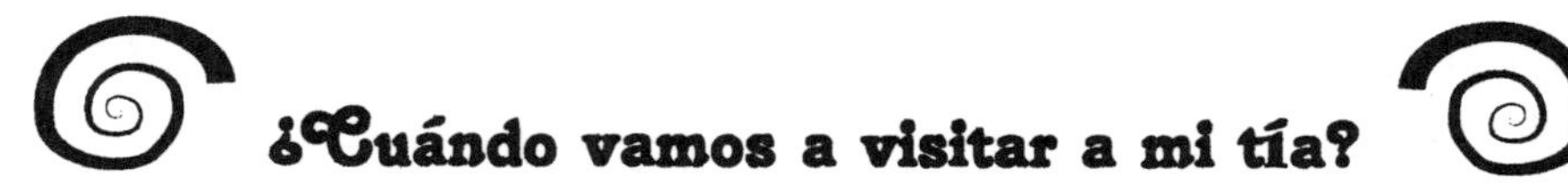

¿Cuándo vamos a visitar a mi tía?

[A visit to MARUCA's aunt is not RODOLFO's idea of a great vacation.]

MARUCA: Rodolfo, mi tía Viviana nos invita a visitarla.

RODOLFO *(Thinking):* Tu tía Viviana... ¿no es la tía con los veintidos gatos... ¿y cada gato tiene un collar con su nombre en diamantes?

MARUCA: Sí, es ella... pero ahora tiene veinticinco gatos.

RODOLFO: Lo siento, Maruca. Tengo mucho trabajo. No tengo tiempo para tomar las vacaciones durante el otoño.

MARUCA: Pues, vamos a visitarla en el invierno. ¿Tienes tiempo libre en enero, febrero o en marzo?

RODOLFO: No... no quiero visitar a tu tía Viviana en el invierno.

MARUCA: ¿Por qué no?

RODOLFO: Hace mucho frío en el invierno y todos los gatos están en casa. Me gusta el invierno pero no me gustan tantos gatos. Me hacen estornudar.

MARUCA: Pues, entonces vamos a visitar a mi tía en la primavera. Vamos en abril, mayo o en junio. Hace buen tiempo en la primavera y los gatos están afuera.

RODOLFO: Hace calor en la primavera, Maruca. En la primavera los gatos mudan el pelo. Es horrible.

MARUCA: Bueno, vamos durante el verano. Vamos en julio, en agosto o en septiembre.

RODOLFO: No. Durante el verano, no.

MARUCA: ¿Por qué no?

RODOLFO: Hace mucho sol en el verano. Los gatos tienen calor y tú sabes, Maruca, que son animales muy perezosos de todos modos. En el verano los gatos se acuestan en los sofás, se acuestan en las mesas y se acuestan en las camas. ¡Se acuestan en el periódico cuando tú quieres leerlo!

MARUCA: Está bien, Rodolfo. Pues, vamos en el otoño. En el otoño del año siguiente. Vamos en octubre, en noviembre o en diciembre.

RODOLFO: ¡No! ¡En el otoño nunca!

MARUCA: ¿Por qué no?

RODOLFO: Maruca, tú conoces a tu tía. ¡En octubre ella hace trajecitos para cada gato para el Día de los Muertos ! ¡En noviembre, en el Día de Gracias los gatos se sientan sobre la mesa para comer el pavo con nosotros. ¡Y en diciembre tenemos que comprar regalitos para CADA uno de los veintidos gatos! Tu tía Viviana es una persona muy extraña, Maruca.

MARUCA: Veinticinco gatos, Rodolfo. *(Sighs)* Pues, mi tía va a estar muy triste. *(MARUCA picks up the phone to call Tía Viviana. Dials the number and talks)* ¿Tía? ¡Hola! Soy yo, Maruca. ¿Cómo está usted? *(Listens)* Tía, tengo malas noticias. No podemos visitarla. Rodolfo tiene mucho trabajo. *(Listens)* No, no es posible durante el invierno. *(Listens)* No, tampoco durante la primavera. *(Listens)* No, Rodolfo tiene mucho trabajo en el verano. *(Listens)* No tampoco. Rodolfo dice que el siguiente otoño será imposible también. *(Listens, nods)* Sí, es una lástima. Lo siento mucho, Tía. *(Listens, and then MARUCA opens her eyes in disbelief and exclaims with great and sincere regret)* ¡Ay, qué lástima! ¡Qué lástima! *(She hangs up the phone and turns angrily to RODOLFO)*

RODOLFO *(Unconcerned, shrugging shoulders):* Lo siento mucho. No me gustan los gatos. Me hacen estornudar.

MARUCA *(Angrily):* Esa invitación no era para visitar a mi tía en su ***casa***. ¡La invitación era para visitar a mi tía en un ***viaje por el mar***!

RODOLFO *(Amazed):* ¿Un viaje por el mar?

MARUCA: Sí... ¡dice que necesita unas vacaciones de sus gatos!

Act 9: Los meses y las estaciones

Skit B: Laca

Language Objectives:

Vocabulary: *el invierno, la primavera, el verano, el otoño, enero, febrero, marzo, abril, mayo, junio, julio, agosto, septiembre, octubre, noviembre, diciembre*

Additional vocabulary: *la laca, la farmacia, el cabello, la fragancia, las rosas, el jasmín, los tulipanes,la playa, el sudor, el mar, las hojas, las calabazas, el pavo, la canela, la vainilla, el pino, la galleta, la botella, las cucarachas*

Structures: *Huele a... Huélela.*

Cast: 3 Actors

Sra. BUSTOS (an employee at the Farmacia Valverde store)
Sra. FERMÍN (Sra, BUSTO's colleague, another Farmacia Valverde employee)
MARIBEL (a breezy, aloof, attractive young customer who is in a hurry)

Duration of performance: 3½ minutes

Optional Props/Sets: an assortment of different spray cans (may be hair sprays, carpet deodorizers, *etc.*), a can of roach spray

Production Notes: MARIBEL has beautiful hair, and she tosses her head to show it off. If, for variety's sake, MARIBEL is played by a boy (high school kids *love* to see guys acting girls' roles!) make sure that the guy playing MARIBEL wears a long, flowing wig! Remind Sra. Bustos and Sra. FERMÍN to spray the *"laca"* into the air in front of MARIBEL, and never into her face!
Spanish words for *hair spray* vary from country to country. "*Laca*" was the name of one of the first commercial hair sprays and is often used as a generic term for the product.

Laca

[The employees at the Farmacia Valverde suggest popular hairsprays to MARIBEL, but she desires a unique scent.]

Sra. BUSTOS: ¡Bienvenida a la Farmacia Valverde! ¡Qué bonito cabello tienes, señorita!

Sra. FERMÍN: ¿Buscas un producto para el cabello hoy?

MARIBEL: Sí. Busco una laca con una fragancia única. ¿Qué tienen ustedes?

Sra. FERMÍN *(Picks up a bottle of hairspray):* Huele esta laca, amiga. Se llama Esencia Primavera. *(She sprays it into the air)* Huele a las flores de la primavera... las rosas de mayo, el jasmín de abril, los tulipanes de marzo... *(She sprays it again)* Huélela, amiga.

MARIBEL *(Smells the air, wrinkles her nose):* No me gusta. Tengo alergias a las flores de la primavera. *(MARIBEL sneezes)*

Sra. BUSTOS: ¿No te gusta? *(Picks up a different bottle of hairspray)* Ésta laca es muy popular también. Se llama Sol de Verano. *(She sprays it in the air)* Huele a los campos en junio, el sol de julio y la playa en agosto. Huélela, amiga. *(She sprays it again)*

MARIBEL *(Sniffs deeply then wrinkles her nose, gags):* Sí, huele de verano... Huele al sudor de junio, el spray de mosquitos de julio y los peces del mar de agosto. *(She holds her nose.)* ¡No me gusta!

Sra. FERMÍN: ¡Qué lástima! Bueno, amiga. Aquí hay otra. Es muy popular. *(She picks up another bottle)* Se llama Fragancia Otoño. Huélela. Huele a los colores del otoño... a las hojas rojas y moradas de septiembre, las calabazas anaranjadas de octubre *(Making descriptions up off the top of her head)* a los cafés de... los fútboles y... a los pavos de noviembre... *(Sprays it)*

MARIBEL *(Sniffs and starts coughing):* ¡Señora! ¡Yo no quiero tener la fragancia de un fútbol — ¡y ni de un pavo tampoco!

Sra. BUSTOS: Pues, hay una laca más. Se llama Invierno Blanco. Es muy popular, muy festiva. Tiene todas las fragancias del invierno... la nieve blanca, la canela, la vainilla, los pinos frescos... Huélela, amiga. *(She sprays it)*

MARIBEL *(Sniffs it):* Me gusta la fragancia, pero señoras, no es para mí. Es la fragancia de una galleta... Yo no soy una galleta. Señoras, gracias por su ayuda, pero ya no tengo tiempo. Así que voy a escoger... esta botella. *(She quickly chooses a spray from the shelf and walks away.)*

Sra. FERMÍN *(Watching her go):* ¡Qué muchacha tan rara!

Sra. BUSTOS: Pues, ella quería una fragancia muy única, y ésa es la que tiene.

Sra. FERMÍN: Pues, sí. ¡No hay muchas muchachas que arreglan su cabello con spray... para matar cucarachas!

Act 9: Los meses y las estaciones

Skit C: ¡Zapatos!

Language Objectives:

Vocabulary: *los meses y las estaciones: (la estacion,el invierno, la primavera, el verano, el otoño, enero, febrero, marzo, abril, mayo, junio, julio, agosto, septiembre, octubre, noviembre, diciembre, lunes, martes, miércoles, jueves, viernes, sábado, domingo)*

Additional vocabulary: *la hacienda, la criada, el teatro, la iglesia, el veterinario, las sandalias, las chancletas*

Structures: *el Año Nuevo, los días festivos, el Día de Gracias*

Cast: 3 Actors

ROBERTO (the effervescent TV reporter)
Doña MAGDALIA (the wealthy, imperious, spoiled shoe owner)
LUPE (Doña MAGDALIA's resentful maid)

Duration of performance: 6 minutes

Optional Props/Sets: a divan on which Doña MAGDALIA is reclining and a blanket to cover her legs and feet, at least 15 assorted shoe boxes containing various and sundry pairs of shoes, a microphone for ROBERTO

Production Notes: Doña MAGDALIA is demanding and spoiled, a caricature of a bored, wealthy matron. Here voice is loud and petulant. She may pet an equally pampered little dog by her side as she rests on the divan or couch. LUPE is subservient, but resentful, and may respond to both ROBERTO and Doña MAGDALIA in a monotone voice. ROBERTO is unfailingly giddy with the excitement of interviewing the rich and... richer on his show.

Make sure that Doña MAGDALIA's feet are bare, but are always hidden under the covers until the end of the skit!

Hispanic houses traditionally do not have closets built into walls, but rather tall chests, or wardrobes in which clothing is stored. For this reason the traditional Spanish terms for closet-like spaces are *"el armario"* and *"la guardarropa."* More and more though, the English word, *"el closet"* is the most commonly used term.

¡Zapatos!

[Here's a fascinating and enlightening report about Doña MAGDALIA and her shoe obsession, presented by our special interest reporter, ROBERTO FLORES.]

ROBERTO *(Talking with a microphone to the TV audience):* Hoy estamos en la linda ciudad de Santa Fé. Vamos a visitar a Doña Magdalia Piernalinda en su hermosa hacienda. Esperamos ver su famosa colección de zapatos. *(LUPE, the maid, appears)* ¡Buenos días, Doña Magdalia!

LUPE *(In a bored voice):* No soy Doña Magdalia. Soy Lupe, la criada. Doña Magdalia está en la sala. Venga conmigo, por favor.

[LUPE leads ROBERTO to Doña MAGDALIA, who is lounging on a luxurious settee. Her lounging gown must cover her feet!]

ROBERTO: Buenos días, Doña Magdalia.

Doña MAGDALIA: Hola, Roberto. Bienvenido a mi... castillo. *(She chuckles at her joke.)*

ROBERTO: Doña Magdalia, ¿es verdad que usted tiene muchos zapatos?

Doña MAGDALIA: Sí, es verdad. Tengo muchos zapatos.

ROBERTO: ¿Cuántos pares de zapatos tiene usted?

Doña MAGDALIA: Uf, no sé... quizás mil... dos mil... no sé exactamente. ¿Quiere usted contarlos? *(She laughs)*

ROBERTO: No gracias. ¿Por qué necesita usted tantos pares de zapatos?

Doña MAGDALIA: Pues, cada día de la semana tiene su propio... sabor. Por eso necesito zapatos diferentes para cada día de la semana... Y para cada estación y cada mes del año – y para cada condición del tiempo, por supuesto.

ROBERTO *(Incredulously):* ¿ Usted tiene zapatos diferentes para cada día de la semana?

Doña MAGDALIA: ¿Cómo no? *(Demanding)* Lupe, tráeme los zapatos para el día lunes.

LUPE: Sí, señora. *(LUPE exits, then returns with the tallest stack of shoeboxes she can possibly carry)*

Doña MAGDALIA: Lupe, muestra al señor los zapatos que uso los ***lunes*** de ***febrero***... cuando ***hace frío*** y voy al ***teatro***.

LUPE Sí, señora. *(Opens the top box, pulls out shoes):* ¿Son estos?

Doña MAGDALIA *(Rolls her eyes and snaps in an annoyed tone of voice):* Lupe, estos son los zapatos que uso los ***domingos*** de ***marzo*** cuando ***está lloviendo*** y voy a ***la iglesia***. *(Points to a box in the stack)* ¡Dame esta caja! *(LUPE hands her the box and Doña MAGDALIA pulls out the shoes)* ***Éstos*** son los zapatos que uso los lunes de ***febrero***... cuando ***hace frío*** y voy al ***teatro***.

[LUPE returns the shoes to the box, exits with the stack of boxes and returns.]

ROBERTO: ¿Tiene usted zapatos para...*(Thinking off the top of his head)* vamos a decir...los...viernes de junio?

Doña MAGDALIA: ¡Claro que sí! ¡Lupe, tráeme los zapatos que uso los viernes en junio!

LUPE: Sí señora. *(LUPE exits.)*

Doña MAGDALIA (Conversationally to ROBERTO): Tengo cuatro closets para organizar mis zapatos.

ROBERTO: ¿Por qué cuatro?

Doña MAGDALIA: Pues, tengo un closet para cada estación del año. El closet para la primavera tiene una puerta rosada, el closet para el verano tiene una puerta amarilla, el closet para el otoño es anaranjada y el closet para el invierno tiene una puerta roja y verde, por supuesto, para celebrar los días festivos.

[LUPE enters with another huge stack of shoe boxes.]

Doña MAGDALIA: Lupe, muestra al señor los zapatos que llevo los ***viernes*** de ***junio*** cuando hace sol y voy al médico.

LUPE *(Opens any box, pulls out shoes):* ¿Son estos?

Doña MAGDALIA *(Very irritated):* ¡Lupe! ¿Qué voy a hacer contigo? Estos son los zapatos que uso los ***viernes*** de ***junio*** cuando ***hace mal tiempo*** y llevo a Fifi al ***veterinario***! ¡Ay de tí, Lupe! *(Points to a box in the stack)* ¡Dame esta caja! *(LUPE hands her the box and Doña MAGDALIA pulls out the shoes)* ¡***Éstos*** son los zapatos que uso los ***viernes*** de ***junio*** cuando **hace sol** y voy al ***médico****!*

ROBERTO: ¿Tiene usted zapatos especiales para los días festivos?

Doña MAGDALIA: ¡Por supuesto! Lupe, muestra al señor los zapatos que llevo los días festivos.

LUPE: ¿Cuáles días festivos, señora? Usted tiene diecinueve pares para el Año Nuevo en enero, catorce para el día de Cristóbal Colón en octubre, cuarenta y dos para la Semana Santa en abril, ochenta y seis pares para—

Doña MAGDALIA: ¡Ni modo! ¡Tráeme las sandalias de Morocco!

LUPE: ¿Dónde están?

Doña MAGDALIA: Están en el closet del verano... o del otoño... No me acuerdo.

LUPE: Yo no sé dónde están, señora. Creo que usted tiene que buscarlas.

Doña MAGDALIA: ¡Lupe! ¿Quizás quieres buscar otro empleo?

[At a standoff, Doña MAGDALIA glares at LUPE, and LUPE stares back defiantly at her.]

Doña MAGDALIA (Leans back, crosses her arms, pouts): No puedo. No puedo buscar mis zapatos.

ROBERTO *(Surprised):* ¿Por qué no, Doña Magdalia?

Doña MAGDALIA *(Pulls up her gown to show her bare feet, speaks sadly):* Porque hoy me duelen los pies. Me duelen mucho. No puedo caminar hoy. *(Pondering to herself)* Quizás necesito comprar chancletas. *(Demanding once again)* ¡Lupe, ve a la tienda y cómprame chancletas!

[LUPE waves Doña MAGDALIA off and exits, shaking her head in disgust]

ROBERTO *(To the audience):* Ahora vamos a decir adiós a Doña Magdalia Piernalinda y a su famosa colección de zapatos... ¡ningunos de los cuales puede usar porque le duelen mucho los pies! ¡Adiós... hasta la próxima vez, cuando vamos a visitar a Don Ramón Cabezón y su impresionante colección de sombreros!

Act 10: La familia

Skit A: Pásame la sal, por favor

Language Objectives:

Vocabulary: *la familia (la mamá, el papá, la abuela, el abuelo, el tío, la tía, el hijo, la hija, el hermano, la hermana, el primo, la prima)*

Structures: *¿Qué vamos a comer? ¡Qué rico! ¡Qué feo! ¡Cuidado! ¡Buen provecho! Sopa de pollo con vegetales es mi comida favorita. Yo prefiero ____. Pásame la sal, por favor.*

Cast: 8 Actors

MAMÁ (who serves the soup)

PAPÁ, HERMANO, TÍA, TÍO, PRIMA, ABUELA (who are all very hungry)

PEPE (the youngest family member, who is mischievous, and thinks that it is great fun to have everyone in the family pass food to him at the other end of the table)

Duration of performance: approximately 5 minutes

Optional Props/Sets: a long table, all actors need bowls and spoons, MAMÁ needs a large pot and a ladle, MAMÁ also needs a salt shaker, a bowl of chiles and a basket of bread placed at her end of the table (optional for everyone: an item of clothing to designate his/her character, i.e. a shawl for ABUELA, a tie for PAPÁ, a bib for PEPÉ, *etc.*

Production Notes: This skit was written to flesh out the popular song, *"Pásame la sal, por favor"* from the songbook and CD, **Music That Teaches Spanish**! All actors sit at the long table in the order in which they are depicted in the illustration below. It is very important that as the food item is passed, each family member says,*"Por favor"* and *"Gracias"*, and that the giver responds with *"De nada."*

Napkins, a tablecloth, plates, glasses and so on are other props that may be added to the skit to teach and reinforce table settings and setting the table.

Pásame la sal, por favor

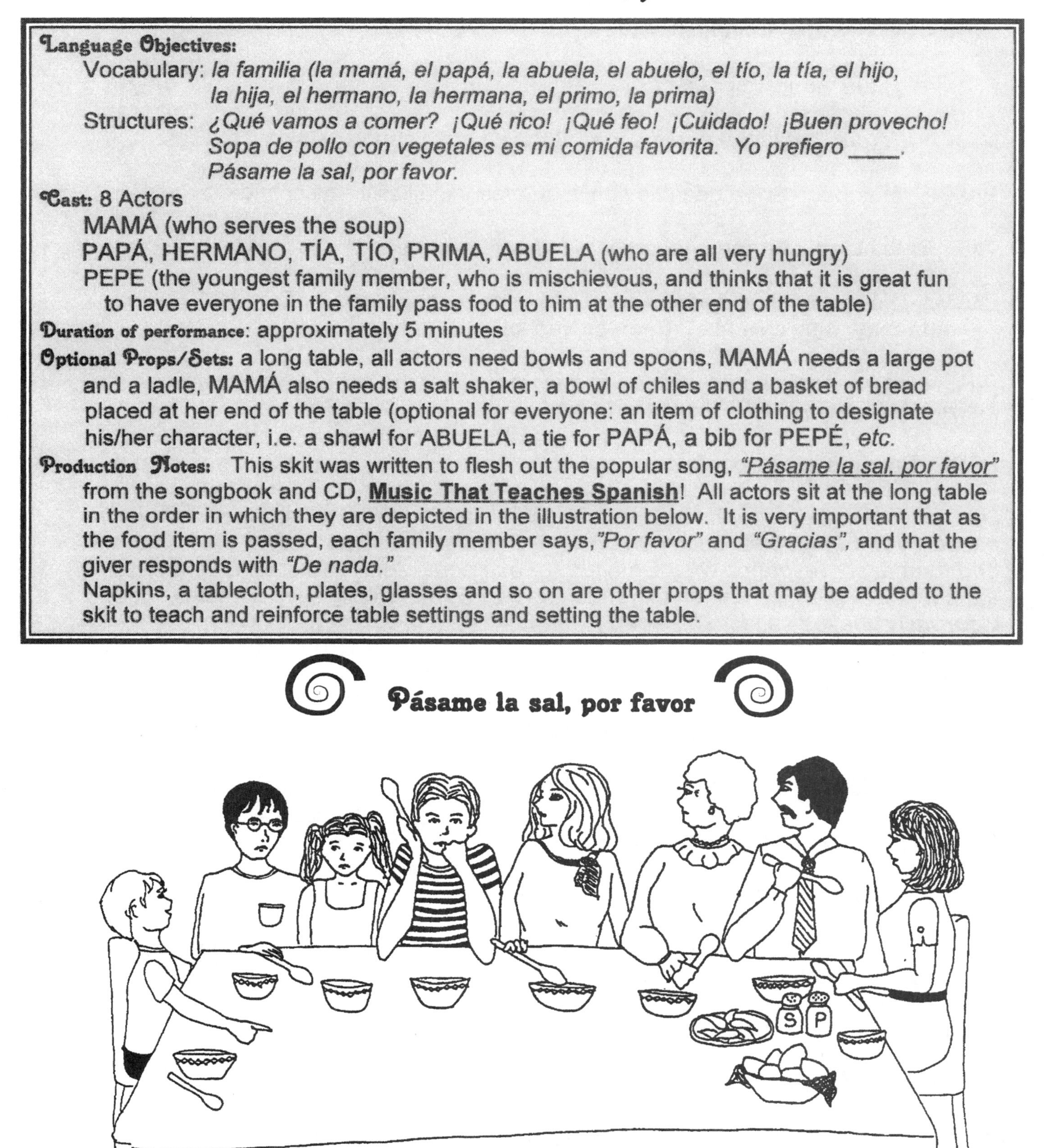

[MAMÁ, PAPÁ, ABUELA, TÍO, TÍA, PRIMA, HERMANO and little PEPE are at the table, ready to eat, when PEPE discovers an entertaining – and exasperating – game.]

HERMANO: Mamá, tenemos hambre.

PRIMA: ¿Qué vamos a comer?

MAMÁ *(Enters, holding a pot of soup):* Sopa de pollo con vegetales y tortillas.

PAPÁ: ¡Qué rico! Sopa de pollo con vegetales y tortillas es mi comida favorita.

TÍO: En realidad, hermano, yo prefiero sopa de frijol negro.

MAMÁ *(Speaking as she ladles soup into each person's bowl):* ¡Cuidado! La sopa está muy, muy caliente. ¡Buen provecho!

[ALL raise their spoons full of soup to their mouths at the same time. Just when they are ready to taste it, PEPE speaks loudly]

PEPE: Pásame la sal, por favor.

[ALL put down their spoons at the same time. Starting with PAPÁ, the salt shaker is passed down the table. Each person says, Pásame la sal, por favor," *then* "Gracias," *and the passer responds with* "De nada." *Each person salts his soup before passing the shaker. When the salt shaker reachers PEPE, he happily says* "Gracias," *then vigorously shakes salt into his soup.]*

ABUELA: Ahora vamos a comer la sopa.

MAMÁ: Cuidado. Todavía está muy caliente.

PAPÁ: ¡Qué rico! Sopa de pollo con vegetales y tortillas es mi comida favorita.

TÍO: Yo prefiero sopa de arroz con albóndigas.

MAMÁ: ¡Buen provecho!

[ALL again raise their spoons full of soup to their mouths at the same time. Just when they are ready to taste, PEPE speaks up]

PEPE: Pásame los chiles, por favor.

HERMANO: ¡Ay, Pepe, no seas burro!

PEPE *(Defiantly):* Quiero poner chiles en mi sopa. Pásame los chiles, por favor.

TÍA: Yo quiero chiles también.

[ALL put down their spoons again and the passing ritual is repeated, this time with a bowl of fresh serrano or jalapeño peppers. Each person selects a chile as the bowl is passed. When the chiles reach PEPE, he carefully picks one and says "Gracias."*]*

ABUELA: Ahora vamos a comer la sopa.

MAMÁ: Ya no está muy caliente.

PAPÁ: ¡Qué rico! Sopa de pollo con vegetales y tortillas es mi comida favorita.

TÍO: ¿Sabes algo? Yo prefiero sopa de crema de pollo con champiñones.

HERMANO: ¡Uf! ¡Qué feo!

PRIMA: A mí no me gusta la sopa que no está caliente.

MAMÁ: ¡Buen provecho!

[ALL once again raise their spoons full of soup to their mouths at the same time. Just when they are ready to taste, PEPE speaks up]

PEPE: Pásame el pan, por favor.

HERMANO *(Complaining):* ¡Papá, tengo hambre!

PAPÁ *(Sternly to PEPE):* Hijo, ya es suficiente.

PEPE *(Arguing):* ¡Pero quiero pan con mi sopa! Pásame el pan, por favor.

TÍA: ¡Nunca vamos a comer esa sopa!

[ALL grouchily put down their spoons again and the passing ritual is repeated, this time with a basket of bread. Each person takes a slice of bread as the basket is passed. When the basket reaches PEPE, he says "Gracias" *and chooses a slice of bread too.]*

MAMÁ: La sopa está fría.

PAPÁ: ¡Qué lástima! Sopa de pollo con vegetales y tortillas es mi comida favorita.

TÍO: Yo prefiero sopa de pescado.

MAMÁ *(Firmly):* Vamos a comer... la sopa fría. *(Looks at soup sadly)* Buen provecho.

PEPE *(Brightly):* Pásame el agua, por favor.

[ALL groan in frustration]

PAPÁ: Hijito, es suficiente. Levántate. Lleva tu sopa a tu cuarto. Vas a comer allí.

PEPE *(Protesting):* Pero tengo sed. Solamente quiero—

PAPÁ *(Loses temper, roars):* ¡Pepe! ¡Vete a tu cuarto!

PEPE *(Sulkily):* Está bien. Me voy. *(PEPE exits with his soup with these last defiant words)* Pero no voy a comer la sopa. ¡Está fría y **no me gusta**!

ABUELA: Ahora vamos a comer la sopa.

MAMÁ: Pero la sopa está muy fría.

TÍA *(Agrees):* Muy fría.

PRIMA: No me gusta la sopa fría.

HERMANO: A mí tampoco.

TÍO: A mí tampoco.

PAPÁ: ¡Qué triste! Sopa de pollo con vegetales y tortillas es mi comida favorita... pero a mí no me gusta fría tampoco. *(Sighs)* ¿Qué vamos a comer?

MAMÁ: Bueno, hay pollo frito y ensalada de papas en el refrigerador.

PAPÁ: ¡Excelente! Pollo frito y ensalada no es mi comida favorita, pero... sí, me gusta. Así que... ¡pásame el pollo frito y la ensalada de papas, por favor! ¡Y buen provecho a todos!

Act 10: La familia

Skit B: La foto de la familia

Language Objectives:

Vocabulary: *la familia (la mamá, el papá, la abuela (la abuelita), el tío, la tía, el hijo, la hija, el hermano, la hermana, el esposo, la esposa)*

Structures: ____ *quiere tomar una foto de la familia.*
Párate en frente. Párate al lado. Párate atrás. Siéntate. Siéntese.
Estoy (estás, está) impaciente/feliz/aburrido/enojado(a)/contento(a).

Cast: 7 Actors

PAPÁ (who wants to take a family photo)
MAMÁ (who is trying to be helpful to PAPÁ)
ABUELITA (who is happy but forgetful)
CARLITOS and MARIQUITA (young son and daughter, around 6 - 8 years old)
GUSTAVO and SARA (older son and daughter, teenagers)

Duration of performance: approximately 4 minutes

Optional Props/Sets: GUSTAVO needs a sofa to sleep on, ABUELITA needs a comfortable chair, PAPÁ needs a camera

Production Notes: ABUELITA should quietly fall asleep in her chair when CARLITOS and MARIQUITA are whining about being bored.
Extend this skit by adding a role for ABUELITO who annoys PAPÁ because he keeps blowing his nose into his handkerchief, also add a role for PAYASO, the dog, or DÓMINO, the cat, who keep running away, causing CARLITOS and MARIQUITA to chase them around the room.

La foto de la familia

[PAPÁ wants to take a family photo and the entire family must be gathered. Note: GUSTAVO is asleep on the sofa at the back of the stage.]

MAMÁ: ¡Carlitos, ven! ¡Mariquita, ven! ¿Dónde están sus hermanos, Gustavo y Sara? ¡Su papá quiere tomar una foto de la familia!

CARLITOS y MARIQUITA *(Enter, running in):* ¡Aquí estamos, Mamá!

ABUELITA *(Enters):* ¿Qué pasa?

MAMÁ: Papá quiere tomar una foto de la familia.

ABUELITA *(Delighted, claps hands)*: ¿Una foto de la familia? ¡Qué lindo! Estoy feliz.

PAPÁ: Mariquita, párate en frente porque eres chiquita. Carlitos, tú también. Párate al lado de tu hermana.

CARLITOS *(Defiantly):* No soy chiquito. Soy grande.

PAPÁ: En frente, Carlitos. *(MARIQUITA and CARLITOS line up and stand "at attention")* Gustavo, tú eres grande. Párate atrás. ¿Gustavo? ¡Gustavo! ¿Dónde está Gustavo?

CARLITOS: Mira. *(Points to sofa)* Gustavo está dormido en el sofá.

MAMÁ *(Goes to sofa and yells in Gustavo's ear)*: ¡Gustavo! ¡Papá quiere tomar una foto de la familia!

GUSTAVO *(Jumps up, awakens in confusion):* ¿Qué? ¿Dónde estoy?

PAPÁ: Gustavo, párate atrás con Sara. ¿Sara? *(Frustrated)* ¿Dónde está Sara?

ABUELITA: Mi hijo, estás muy impaciente. *(To MAMÁ)* ¿Por qué está impaciente tu esposo?

MAMÁ: Mi esposo... tu hijo... quiere tomar una foto de la familia.

ABUELITA *(Delighted, claps hands)*: ¿Una foto de la familia? ¡Qué lindo! Estoy feliz.

PAPÁ: Abuelita... Mamá... siéntese en la silla, por favor.

ABUELITA: ¿En la silla? ¿Por qué, mi hijo?

PAPÁ *(Becoming very upset)*: ¡Porque quiero tomar una foto de la familia!

CARLITOS: Papá está enojado.

PAPÁ: *(Bellows)* ¡No estoy enojado! ¡Estoy muy bien! ¡Estoy contento! ¡Sonrisas, todos! *(Looks at family through camera)* ¡Sara! Sara, todavía no está. ¿Dónde está mi hija, Sara?

MARIQUITA: Está en el baño.

PAPÁ *(Bellows):* ¡Sara, ven acá!

ABUELITA: Mi hijo, tú estás muy enojado. *(To MAMÁ)* ¿Por qué está enojado tu esposo?

MAMÁ: Porque quiere tomar una foto de la familia.

ABUELITA *(Delighted, claps hands):* ¿Una foto de la familia? ¡Qué lindo! Estoy feliz.

SARA *(Enters, running in):* ¡Aquí estoy! *[Stands next to GUSTAVO]*

MARIQUITA *(Whining)*: Papá, estoy cansada.

GUSTAVO: Yo también.

CARLITOS: Yo estoy aburrido. Esto no es interesante. Quiero jugar con mis amigos.

MARIQUITA: Yo también.

PAPÁ: ¡Aquí está toda la familia! ¡Finalmente! ¡Sonrisas, todos! *(Focuses camera)*

MAMÁ: ¡Un momento!

PAPÁ: ¿Qué? ¿Qué?

MAMÁ: Mi amor, tú no estás en la foto y tú eres el papá. La foto no es buena sin tí. Quizás tía Sandra puede venir acá para tomar la foto de la familia.

GUSTAVO: No, tía Sandra y tío Alejo están de vacaciones en Cancún. Y además, mira a abuelita.

SARA: Está dormida en la silla.

PAPÁ *(Wearily):* Mañana... mañana quiero tomar una foto de la familia.

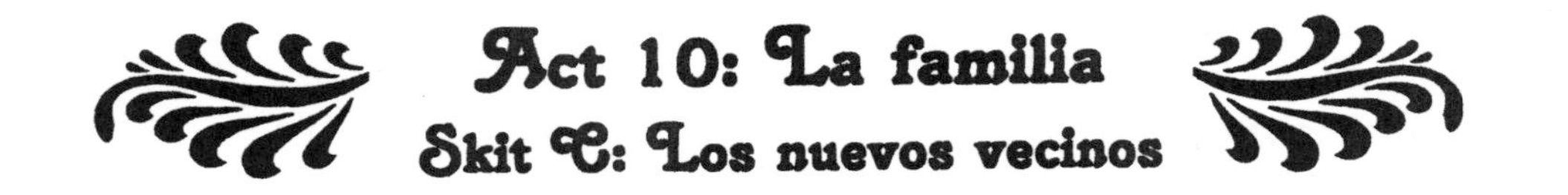

Act 10: La familia
Skit C: Los nuevos vecinos

Language Objectives:

Vocabulary: *la familia (la mamá, el papá, los abuelos, el hijo, los hijos, la hija, las hijas, el bebé, hija, el hermano, la hermana, los gemelos, el esposo, la esposa, los vecinos)*

Structures: *Vivimos al lado. ¡Bienvenidos a la colonia!*
Juego (juegas, juega) basquetbol/beisbol/fútbol/golf
Me gusta (No me gusta) jugar basquetbol/beisbol/fútbol/golf
Toco el saxofón/trombón/piano.

Cast: 10 Actors

La familia JIMENEZ: Sr. (JORGE) JIMENEZ, Sra. (JULIANA) JIMENEZ, and their three sons, *JULIO, JAVIER and JUANITO* (They are a sports-oriented family.)

La familia ANDRADE: Sr. (ANTONIO) ANDRADE, Sra. (ALICIA) ANDRADE and their three sons, *ANDRÉS, ALEJO, ÁNGEL* (They just moved to the neighborhood and they are a very musical family.)

Duration of performance: approximately 5 minutes

Optional Props/Sets: Sra. JIMENEZ needs a plate of cookies, the JIMENEZ boys may carry sports equipment like baseballs, bats, *etc*. The ANDRADE boys may hold musical instruments or sheet music.

Production Notes: The JIMENEZ family may be dressed in sports attire and their demeanor is rambunctious and casual. The ANDRADE family is dressed slightly more properly and behaves in a more reserved and refined manner.

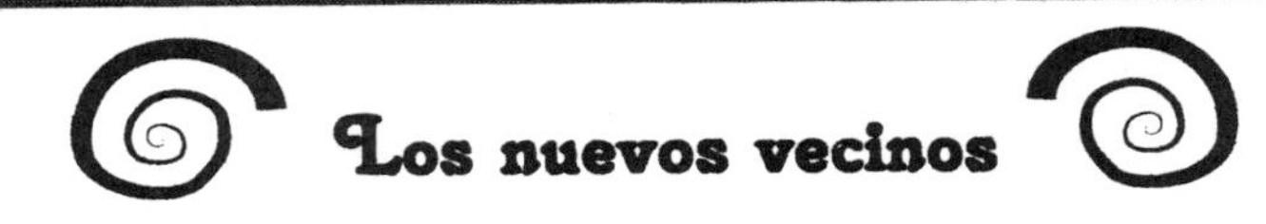

Los nuevos vecinos

[The JIMENEZ family goes to meet their new next-door neighbors, the ANDRADE family. Sr. JIMENEZ rings the doorbell. Sra. JIMENEZ holds a plate of cookies.]

Sr. ANDRADE *(Opening the door):* Hola.

Sr. JIMENEZ: ¡Bienvenidos a la colonia! Somos sus vecinos. Vivimos al lado.

Sr. ANDRADE: ¡Hola! ¡Mucho gusto! *(They shake hands)* Voy a llamar a mi esposa y a mis hijos. ¡Alicia! ¡Andrés! ¡Alejo! ¡Ángel!

Sr. JIMENEZ: ¡Qué bueno! ¿Ustedes tienen tres hijos? Nosotros tenemos tres hijos también.

[Sra. ANDRADE, ANDRÉS, ALEJO, ÁNGEL enter]

Sra. JIMENEZ: Hola. Me llamo Juliana. Juliana Jimenez. Tengo un plato de galletas para su familia. *(Offers plate of cookies)* Vivimos al lado.

Sra. ANDRADE: Mucho gusto. Gracias. *(Smells the cookies)* ¡Huelen muy ricos! ¿Es ésta su familia?

Sra. JIMENEZ: Sí. *(Points)* Mi esposo, Jorge. Mi hijo mayor, Julio... tiene quince años. *(JULIO acknowledges introduction)* Y éste es mi hijo, Javier. Tiene doce años. Y mi niñito se llama Juanito. Tiene cinco años.

JAVIER, JUANITO: Hola. Mucho gusto.

Sra. ANDRADE: Pues, yo me llamo Alicia y mi esposo se llama Antonio. Éste es mi hijo Andrés y él es Alejo. Son gemelos y tienen catorce años.

ANDRÉS, ALEJO: Hola. Mucho gusto.

Sra. ANDRADE: Y éste es mi bebé, Ángel. Tiene ocho años. *(ÁNGEL looks down shyly.)* Es un poco tímido. *(To ÁNGEL)* Ángel, no seas tímido. Éstos son nuestros nuevos vecinos.

Sr. JIMENEZ: ¡Qué raro! Seis hijos y ni una hija!

Sra. ANDRADE: Mis papás viven aquí también. Andrés, ¿dónde están tus abuelos?

ANDRÉS: Están en el patio, mamá. Juegan a ping pong.

Sr. JIMENEZ: ¿Por qué no hacemos algo juntos, las dos familias. ¿Quieren ir a ver un partido de beisbol esta tarde? Mi hijo, Julio, juega a beisbol.

JULIO: Papá y yo practicamos cada tarde. Quiero ser un jugador profesional de beisbol como mi tío.

Sr. JIMENEZ *(Proudly):* Su tío es Beto Romero de los Cardenales. *(To ANDRÉS)* ¿Lo conoces, verdad? Es muy famoso.

ANDRÉS: No. En realidad no sé mucho de beisbol. Toco el saxofón en la banda.

Sr. JIMENEZ: ¿Pues, quieren entrar a la casa para mirar la televisión? Hay un partido de basquetbol a las 4:00. Los Knicks contra los Jazz. Mi hijo, Javier, juega basquetbol. *(Proudly)* Es el mejor jugador del equipo de la escuela.

JAVIER: Juego al basquetbol por una hora antes de las clases y por tres horas después – ¡cada día! *(To ALEJO)* ¿Quieres jugar un rato?

ALEJO: No, gracias. En realidad, no me interesa mucho el basquetbol. Yo toco el trombón en la banda.

JUANITO: ¡A mí me gusta jugar al fútbol! *(To ANGEL)* ¿Te gusta jugar al fútbol?

ANGEL: No, no me interesa el fútbol. Me gusta tocar el piano.

Sra. JIMENEZ: Alicia, yo juego al golf todos los días con mis amigas. ¿Quieres acompañarnos mañana?

Sra. ANDRADE: Gracias, pero no. En realidad no sé jugar al golf. Me gusta mucho cantar. Soy maestra de canto. ¿Juliana, hay un coro en este pueblo?

Sra. JIMENEZ: No sé. Lo siento mucho. No sé nada de la música.

Sr. JIMENEZ: Pues, parece que somos dos familias con seis hijos, pero no tenemos nada en común. ¡Qué lástima!

Sr. ANDRADE: Sí... una familia de puros deportes y otra de pura música. Bueno... *(Awkwardly)* Hasta luego. *(To his family)* Hijos, ¿vamos a comer? *(To Sr. JIMENEZ)* Siempre comemos fajitas los domingos por la tarde.

Sr. JIMENEZ *(With interest):* ¿Fajitas? ¡Nosotros comemos fajitas todos los domingos también! ¿Hay un restaurante mexicano cerca de aquí?

Sr. ANDRADE: ¡Claro que sí! ¡Qué bueno! Entonces nuestras familias sí tienen algo en común.

Sr. JIMENEZ: ¡Sí! ¡Fajitas!

TODOS: ¡Vamos a comer!

Act 11: La ropa

Skit A: Tienes que levantarte

Language Objectives:

Vocabulary: *la ropa (los pantalones, la camisa, los calcetines, los zapatos, la chaqueta, la pijama, la falda, el traje de baño, la blusa)*

Structures: *Ponte el/la/los/las ____ ya. Tienes que levantarte. ¡Levántate!*
Estoy listo(a) para la escuela.
Este(a) ____ no es apropiado(a) para la escuela.

Cast: 3 Actors

MAMÁ (who is frustrated with her children)
ESTEBAN (a sleepy son, somewhere between 9 and 16 years old)
ROSA (an eccentric daughter, somewhere between 13 and 15 years old)

Duration of performance: approximately 3½ minutes

Optional Props/Sets: ESTEBAN needs a bed (may be a sleeping bag or blanket placed on the floor,) ESTEBAN needs some pants, a shirt, socks, shoes and jacket. (optional:) MAMÁ may wear a robe and slippers; ROSA needs an evening gown, a very short skirt, an appropriate-length skirt, a giant man's sweatshirt and pajamas.

Production Notes: ROSA may perform her lines with MAMÁ while ESTEBAN puts on his articles of clothing. Bring extra-large clothes for ESTEBAN, so that he may put them on quickly over his own clothing.
This skit closely mirrors the song, *"Ponte la camisa ya"* from the book and CD, **Music That Teaches Spanish!** The skit and song may be performed together for an enjoyable program for parents.

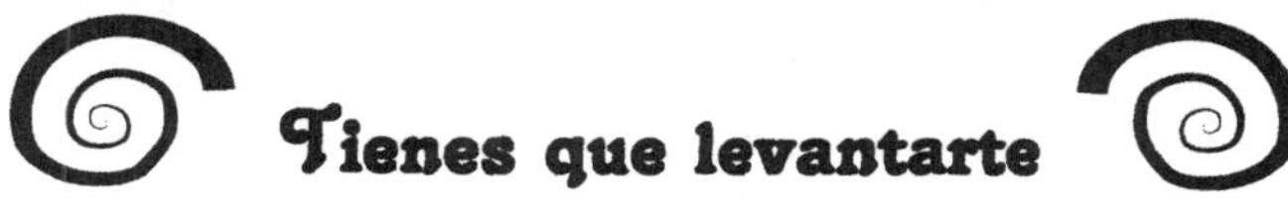

Tienes que levantarte

[MAMÁ has her hands full trying to get her two children, ROSA and ESTEBAN, ready for school in the morning.]

MAMÁ: ¡Esteban! ¿Esteban? *(MAMÁ opens his bedroom door.)*

ESTEBAN *(Sleepily raises his head from the pillow):* ¿Sí, mamá?

MAMÁ: Esteban, tienes que levantarte. Son las 7:00. Ponte los pantalones ya.

ESTEBAN: Sí, mamá. *(MAMÁ leaves, ESTEBAN puts on his pants then lies down again. ROSA enters wearing an evening gown.)*

ROSA: Mamá, estoy lista para la escuela.

MAMÁ: No, Rosa, este vestido no es apropiado para la escuela.

ROSA *(Insulted):* ¿Por qué no?

MAMÁ: Es muy elegante. Te vas a ver ridícula. Ponte otro vestido por favor.

ROSA *(Sulkily):*
Sí, mamá.
(ROSA exits)

MAMÁ:
¿Esteban?
(MAMÁ opens his bedroom door.)
¡Esteban!

ESTEBAN
(Sleepily raises his head from the pillow): ¿Sí, mamá?

MAMÁ: Esteban, tienes que levantarte. Son las 7:05. Ponte la camisa ya.

ESTEBAN: Sí, mamá. *(MAMÁ leaves, ESTEBAN puts on his shirt then lies down again. ROSA enters wearing a blouse and a very short skirt.)*

ROSA: Mamá, estoy lista para la escuela.

MAMÁ: No, Rosa, esta falda no es apropiada para la escuela.

ROSA *(Insulted):* ¿Por qué no?

MAMÁ: Es muy corta. Es demasiada corta. Ponte otra falda ya.

ROSA *(Rolls her eyes, sighs):* Sí, mamá. *(ROSA exits)*

MAMÁ: ¿Esteban? *(MAMÁ opens his bedroom door.)* ¡Esteban!

ESTEBAN *(Sleepily raises his head from the pillow):* ¿Sí, mamá?

MAMÁ: Esteban, tienes que levantarte. Son las 7:10. Ponte los calcetines y los zapatos ya.

ESTEBAN: Sí, mamá. *(MAMÁ leaves, ESTEBAN puts on his shoes and socks and then lies down again. ROSA enters wearing an appropiate skirt with a huge, heavy sweatshirt.)*

ROSA: Mamá, estoy lista para la escuela.

MAMÁ: Rosa, la falda está perfecta, pero esta sudadera no es apropiada.

ROSA *(Exasperated):* ¡Ay mamá! ¿Por qué no?

MAMÁ: Rosa, hace mucho calor hoy. Vas a tener mucho calor. Además es la sudadera de tu papá. Es muy grande. Ponte una blusa por favor.

ROSA *(Glares):* Sí, mamá. *(ROSA exits)*

MAMÁ: *(Opens ESTEBAN's bedroom door and yells)* ¡Esteban! Son las 7:15. ¡Levántate ya!

ESTEBAN *(Annoyed):* Está bien, está bien. *(ESTEBAN gets up)* Voy a comer. *(ESTEBAN exits grumpily)*

MAMÁ *(Sighs):* Finalmente! *(Calls after him)* ¡Y ponte tu chaqueta! Hace fresco hoy.

ROSA *(Enters wearing pajama bottoms and a T-shirt):* Mamá, estoy lista para la escuela.

MAMÁ: Rosa, ¿Estás loca? ¿De veras piensas llevar pijamas a la escuela?

ROSA *(Innocently):* ¿Por qué no? Quiero ser diferente. Quiero ser original.

MAMÁ *(Giving up):* Rosa, ponte lo que quieras... falda, vestido, pijamas, traje de baño... Ya no me importa. Yo estoy cansada. Ve a la escuela.

ROSA *(Suspiciously):* ¿Qué vas a hacer tú, mamá?

MAMÁ: ¿Yo? ¡Yo voy a dormir! *(MAMÁ crawls into ESTEBAN's bed, pulls up the covers and goes to sleep.)*

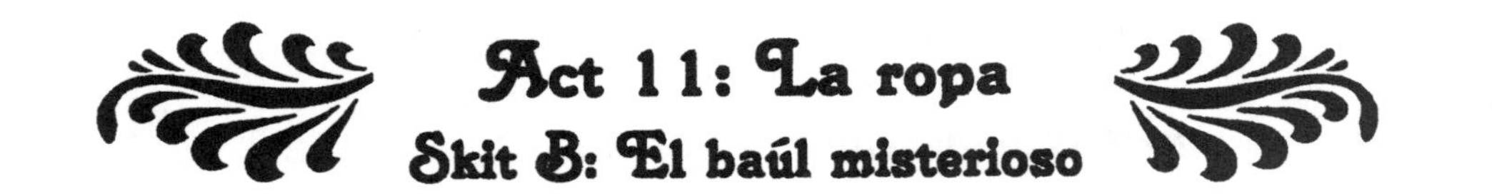

Act 11: La ropa
Skit B: El baúl misterioso

Language Objectives:

Vocabulary: *la ropa (los pantalones, la camisa, los calcetines, los zapatos, el sombrero, la blusa, los guantes, las bufandas, el botón/los botones, el suéter, la bolsa)*

Additional vocabulary: *el baúl, viejo(a), el polvo, polvoriento(a), viejo(a), delicado(a), usado(a), misterioso(a), listo(a), aburrido(a), cómico (a), generoso(a), los diamantes, las perlas, los rubíes, el mago, el payaso, el tesoro, las botellas de pomada para el pelo, realizar todos los sueños*

Cast: 4 Actors

MAMÁ and PAPÁ (the surprised and curious parents)
TIMOTEO (the son, in elementary, middle or high school)
CORDELIA (the daughter, in elementary, middle or high school)

Duration of performance: approximately 5 minutes

Optional Props/Sets: Important! A large old chest (may also be a big cardboard box) with these items inside: 2 old-fashioned dresses, 5 blouses with buttons, at least 3 pairs of pants, a pair of elegant gloves, an old purse with colorful scarves inside, an old hat, a sweater, old shoes, three small bottles, a big old book, old socks, an envelope with a letter inside

Production Notes: The envelope with the letter inside should be taped or stapled to the top of the dusty old trunk.
Extend this skit by adding additional old clothes to pull out of the trunk and/or odd items, such as old photographs, knick-knacks, sheet music, *etc.*

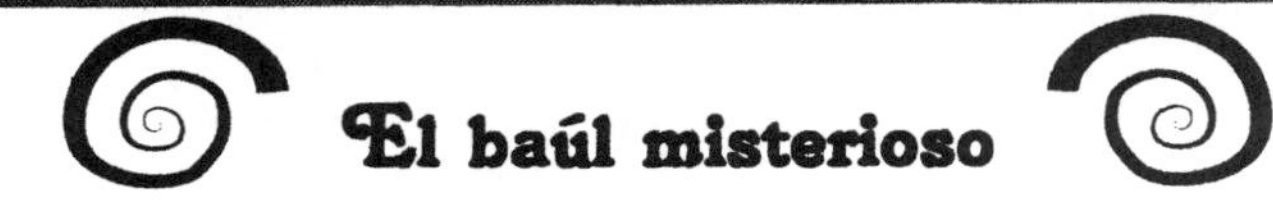

El baúl misterioso

[The TAMAYO family , PAPÁ, MAMÁ, CORDELIA and TIMOTEO, are relaxing, when a strange old trunk appears at their doorstep. What is inside of it?]

PAPÁ: ¡Timoteo! Contesta la puerta. Alguien toca.

TIMOTEO *(Opens the door):* No hay nadie. ¿Pero qué es esto? *(TIMOTEO pulls a heavy, dusty old trunk inside the house.)* Es un baúl viejo.

[PAPÁ, MAMÁ, CORDELIA gather round the trunk.]

CORDELIA: Tiene mucho polvo. *(She brushes the dust off the lid and everyone coughs or sneezes.)*

MAMÁ: ¡Qué misterioso! Mira. Hay una carta. *(She opens the envelope and reads the letter out loud.)* Dice —Mi querida familia, Soy muy viejo y ya no necesito las cosas que hay en este baúl. Se las regalo a ustedes. Espero que puedan realizar todos sus sueños. Con mucho amor, su Tío Elisondo"

TIMOTEO: ¿Tío Elisondo? ¿Quién es él?

PAPÁ: Tío Elisondo... creo que es el primo de tu abuelo. No lo conozco. Es de España. Tiene más de noventa años.

CORDELIA: ¡Vamos a abrirlo! ¡Quizás hay un tesoro adentro! *(ALL lift the top off the trunk; the dust makes everyone cough and sneeze. Inside are piles of old-fashioned clothing)*

MAMÁ: ¡Mira! *(She pulls out an old dress)* Es un vestido muy viejo y delicado. ¡Qué hermoso!

PAPÁ *(Pulls out an old pair of shoes):* Zapatos muy viejos... y usados. ¡Con botones rojos!

TIMOTEO *(Pulls out an old top hat):* Un sombrero viejo. Muy elegante. Es cómico. *(TIMOTEO puts the hat on.)*

CORDELIA *(Pulls out long gloves):* ¡Guantes! *(She puts them on)* Voy al teatro.

MAMÁ *(Pulls out another old-fashioned dress):* Otro vestido... es bonito... ¿Pero qué hago con tantos vestidos viejos?

PAPÁ *(Pulls out several pairs of old trousers):* Pantalones... más pantalones... y más pantalones.

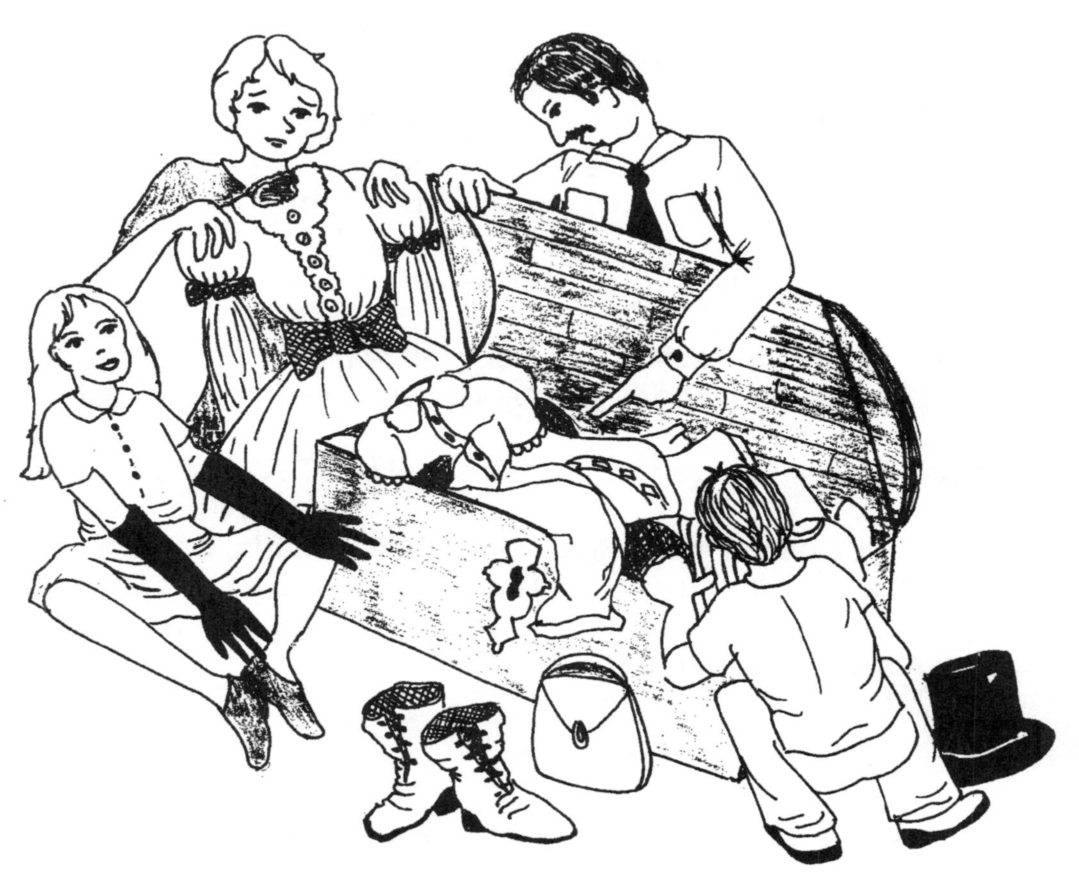

PAPÁ *(continued):* Son interesantes... ¿pero qué hago con tantos pantalones viejos? ¿Cómo voy a realizar mis sueños con pantalones viejos? *(Laughing)* Quizás Tío Elisondo és un poco senil.

TIMOTEO *(Pulls out a big book):* ¡Quizás el tesoro está en este libro! *(He flips through it, shakes it upside down, then disappointed)* No, no hay dinero. Es un diccionario. Tío Elisondo es un hombre muy aburrido.

CORDELIA *(Pulls out a bag):* ¡Una bolsa! ¡Quizás el tesoro está en esta bolsa! *(She opens it)* No. Son bufandas. Muchas, muchas bufandas. *(She pulls out scarves of many colors)*

PAPÁ: Quizás Tío Elisondo es un mago... o un payaso en el circo.

TIMOTEO: ¿Qué más hay en el baúl? *(He pulls out a moth-eaten sweater)* Un suéter feo... *(Pulls out socks)* Y calcetines... ¡muy feos!

PAPÁ: *(Pulls out old bottles):* Tres botellas de pomada para el pelo...

CORDELIA *(Pulls out another old dress and lots of old button-down blouses):* Más ropa. Otro vestido y uno... dos... tres... cuatro... cinco blusas. ¡Papá, esto es ridículo! ¡No podemos vender esta ropa! ¡Nadie quiere ropa tan vieja y polvorienta!

MAMÁ: Pero los botones en las blusas son muy bonitos. ¡Cómo brillan!

PAPÁ *(With curiosity):* Marta, dame esa blusa. *(He looks carefully at the buttons in amazement)* Marta, estos botones... ¡son perlas! ¡Son perlas perfectas! ¡Marta, estas blusas valen mucho, mucho dinero!

CORDELIA: ¿Y los botones en los vestidos, Papá?

PAPÁ: Dame un vestido. *(He looks carefully at the buttons on the dress.)* ¡Diamantes! ¡Todos los botones son diamantes! Timoteo, dame esos zapatos.

TIMOTEO: ¿Con los botones rojos? *(TIMOTEO gives the shoes to PAPÁ.)*

PAPÁ: ¡Estos botones rojos... son rubíes! Marta, Cordelia, Timoteo, Tío Elisondo no es un hombre loco ni senil, y no es un payaso tampoco. Es un hombre amable, generoso y muy listo. ¡Y con la ropa vieja en este baúl, nosotros sí vamos a realizar todos nuestros sueños!

Act 11: La ropa
Skit C: La venta de garaje

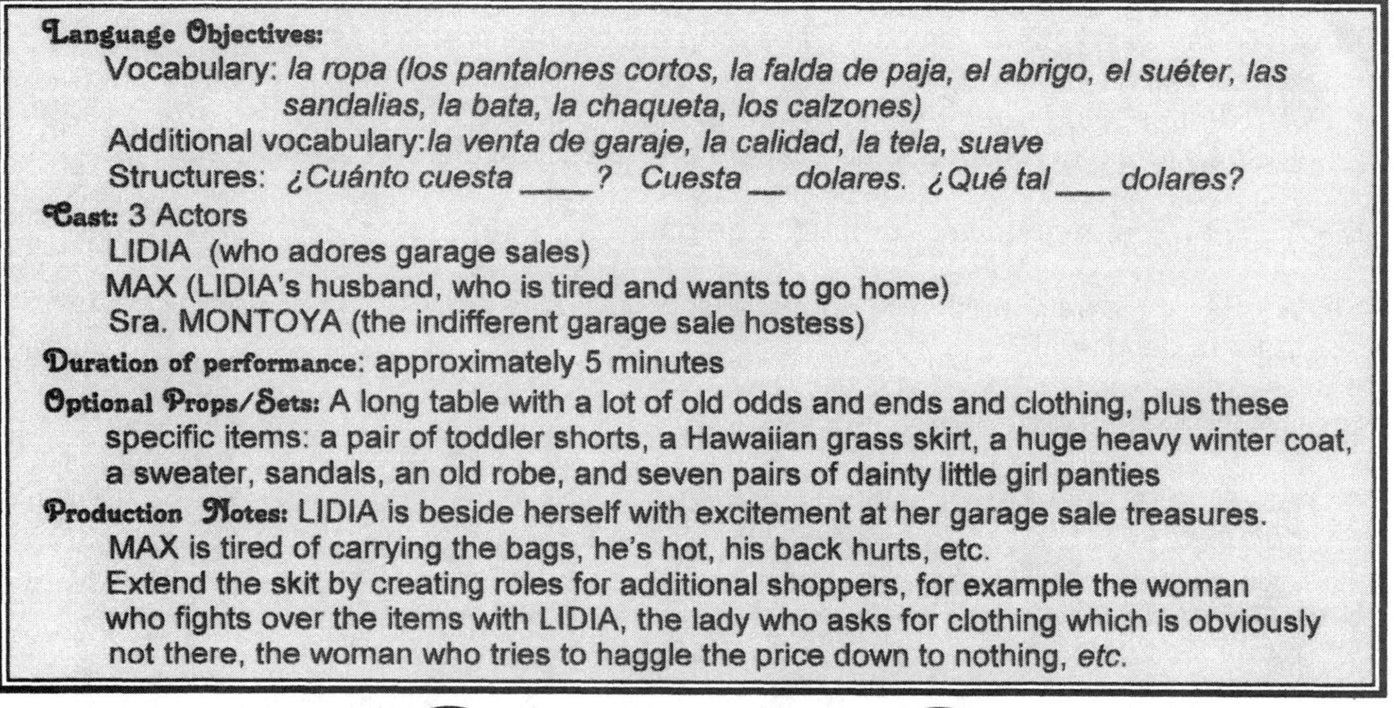

Language Objectives:

Vocabulary: *la ropa (los pantalones cortos, la falda de paja, el abrigo, el suéter, las sandalias, la bata, la chaqueta, los calzones)*

Additional vocabulary:*la venta de garaje, la calidad, la tela, suave*

Structures: *¿Cuánto cuesta ____? Cuesta __ dolares. ¿Qué tal ___ dolares?*

Cast: 3 Actors

LIDIA (who adores garage sales)

MAX (LIDIA's husband, who is tired and wants to go home)

Sra. MONTOYA (the indifferent garage sale hostess)

Duration of performance: approximately 5 minutes

Optional Props/Sets: A long table with a lot of old odds and ends and clothing, plus these specific items: a pair of toddler shorts, a Hawaiian grass skirt, a huge heavy winter coat, a sweater, sandals, an old robe, and seven pairs of dainty little girl panties

Production Notes: LIDIA is beside herself with excitement at her garage sale treasures. MAX is tired of carrying the bags, he's hot, his back hurts, etc.

Extend the skit by creating roles for additional shoppers, for example the woman who fights over the items with LIDIA, the lady who asks for clothing which is obviously not there, the woman who tries to haggle the price down to nothing, *etc.*

La venta de garaje

MAX *(Carrying several bags of clothes):* Lidia, tenemos bastante. Vamos a casa ya.

LIDIA: Esta es la última venta de garaje, Max. Te lo prometo. Después vamos a casa.

MAX *(Looking pained):* Está bien.

LIDIA *(To Sra. MONTOYA):* ¿Tienen ropa para vender?

Sra. MONTOYA: Sí, toda la ropa para vender está en esa mesa.

LIDIA: ¡Ay, mira, Max! *(She picks up a pair of tiny toddler shorts)* Pantalones cortos para un bebé... ¡Qué chulos! ¿Cuánto cuestan?

Sra. MONTOYA: Cuestan dos dólares.

LIDIA: ¿Qué tal un dolar?

Sra. MONTOYA: Está bien. Un dolar.

MAX: Pero, Lidia, no tenemos un bebé.

LIDIA: Yo sé, Max. Pero... ¡un dolar! Es un precio excelente. ¡Y qué calidad! Toca la tela. Es muy suave. Max, dame un dolar. *(MAX gives LIDIA a dollar and she pays Sra. MONTOYA for the toddler shorts.)*

MAX *(To himself)*: ¿Qué vamos a hacer con pantalones cortos de bebé...?

LIDIA *(Rummaging through the items on the table, finds a Hawaiian grass skirt, she gasps)*: ¡Max, mira! Una falda de paja de Hawaii. ¡Quiero esta falda, Max!

MAX: Lidia, ¿por qué quieres una falda de paja?

LIDIA: ¡Es de Hawaii, Max! ¡Me encanta Hawaii! *(To Sra. MONTOYA)* ¿Cuánto cuesta la falda de Hawaii?

Sra. MONTOYA: Tres dólares.

LIDIA: ¿Qué tal dos dólares?

Sra. MONTOYA: Está bien. Dos dólares.

MAX *(Examining the grass skirt)*: Lidia, dice —Hecho en China."

LIDIA: No me importa, Max. Es preciosa. Y es muy exótica. Max, dame dos dólares. *(MAX gives LIDIA two dollars and she pays Sra. MONTOYA. Now she discovers a HUGE, heavy winter coat)* ¡Max, mira! ¡Un abrigo! Tú necesitas un abrigo, Max.

MAX: No necesito un abrigo.

LIDIA: Tú sí necesitas un abrigo, Max. Solamente tienes chaquetas y suéteres. No tienes un abrigo.

MAX: Lidia, vivimos en Miami. No necesito un abrigo. Este abrigo es para Alaska.

LIDIA: Yo quiero ir a Alaska, Max. *(To Sra. MONTOYA)* ¿Cuánto cuesta este abrigo?

Sra. MONTOYA: Cuesta siete dólares.

LIDIA: ¿Qué tal cinco dólares?

Sra. MONTOYA: Está bien. Cinco dólares.

MAX: Lidia, este abrigo es para un hombre del tamaño de Santa Claus. Yo no soy tan gordo.

LIDIA: No me importa, Max. ¡Es casi nuevo! Y mira; la marca dice —Explorador. Tú quieres ser un explorador, Max. Dame cinco dólares. *(MAX gives LIDIA five dollars and she pays Sra. MONTOYA. Then she discovers seven pairs of panties with the days of the week on them)* ¡Max, mira! ¡Calzones de niña! ¡Siete pares! Uno para cada día de la semana. ¡Qué divinos! ¡Lunes, martes, miércoles, jueves, viernes, sábado y domingo!

MAX: Lidia, no tenemos una niña. No necesitamos calzones divinos.

LIDIA: ¡Pero me gustan!

MAX: Lidia, no.

LIDIA *(To Sra. MONTOYA):* ¿Cuánto cuestan estos calzones?

Sra. MONTOYA: Cuestan diez dólares.

LIDIA: ¿Qué tal siete dólares?

Sra. MONTOYA: Está bien. Siete dólares.

MAX: Lidia, ¿que hacemos con siete pares de calzones de niña? No tenemos niñas. Tenemos dos perros y un loro.

LIDIA: No me importa. Max, dame siete dólares. *(MAX gives LIDIA seven dollars and she pays Sra. MONTOYA. Then she discovers sandals, a bath robe and a sweater from Peru.)* ¡Max, mira! ¡Sandalias! ¡Una bata! ¡Un suéter de Perú!

MAX: No, Lidia. No, no, no. Ya no. Vamos a casa. Ya tenemos muchas cosas. ¿Y qué vamos a hacer con tanta ropa? ¡Dime, Lidia! ¿Qué? Pantalones cortos para un bebé... Una falda de paja... Un abrigo enorme... Siete calzones con los días de la semana... ¿Qué hacemos con esta ropa, Lidia?

LIDIA: ¡Yo sé, Max! ¡Yo sé! ¡Vamos a tener una venta de garaje!

Act 12: Los cuartos y los muebles

Skit A: ¿Dónde está Ringo?

Language Objectives:

Vocabulary: *la sala, el dormitorio, la cocina, el comedor, la oficina, el sofá, el sillón, el televisor, la mesa, el gabinete, las cortinas, la cama, el ropero, el espejo, la computadora, el estante de libros, la planta*

Additional vocabulary: *el campo, la camioneta*

Structures (prepositions): *sobre, detrás de, en, frente a, debajo de, al lado de*

Cast: 5 Actors

MAMÁ and PAPÁ (parents who enjoy doing things with their kids)
ABUELITA (a no-nonsense grandmother)
LUCI (the tender-hearted daughter, between 9-12 years old)
BLAS (the nice son, also between 9-12 years old)

Duration of performance: approximately 5 minutes

Optional Props/Sets: This entire skit involves rooms and furniture which will be impossible to recreate in a classroom (and silly to attempt for a 5-minute skit.) Create some of the furniture with chairs and strategically-placed blankets. Draw the other furniture on the board or on posters.

Production Notes: The family sits around a table, and family members leave one at a time to look for Ringo (who is never seen). Each speaks out loud to him or herself while looking for the dog, then returns to the table to report the findings (or lack thereof)! Extend this skit by adding other family members, who search for the dog in the backyard, garage, cellar and/or bathroom.

¿Dónde está Ringo?

[The OROZCO family; PAPÁ, MAMÁ, ABUELITA, LUCI and BLAS are sitting in the kitchen. They want to go for a picnic but they can't find their dog, Ringo.]

MAMÁ: ¡Qué bonita mañana! Y es sábado. Vamos a tener un picnic en el campo.

ABUELITA: Es una idea excelente. Yo voy a preparar unos sándwiches y una ensalada de papas.

LUCI: Y yo voy a empacar galletas y jugos.

BLAS: Yo voy a llevar la cometa y la pelota de fútbol.

PAPÁ: Y vamos a llevar a Ringo, por supuesto. A Ringo le encanta correr en el campo. ¡Ringo! ¡Ringo! *(To the family)* ¿Dónde está Ringo?

BLAS: Usualmente está en la sala. Voy a buscarlo. *(BLAS goes to look for Ringo in the livingroom)* ¿Ringo, estás sobre el sofá? *(Pause)* No. ¿Estás detrás del sofá? *(Pause)* No. ¿Estás en el sillón? *(Pause)* No. Hmmmm. ¿Estás frente al televisor? *(Pause)* No. *(BLAS returns to his family in the kitchen.)*

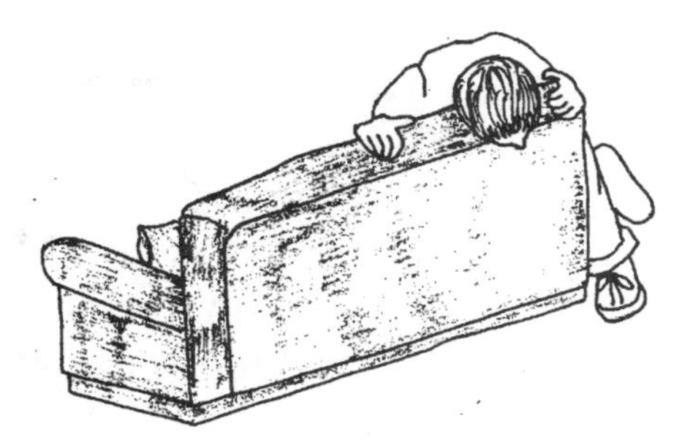

MAMÁ: ¿Dónde está Ringo?

BLAS: No sé. No está en la sala. No está sobre el sofá ni en el sillón y no está frente al televisor.

PAPÁ: A veces está en el comedor. Yo voy a buscarlo. *(PAPÁ goes to look for Ringo in the dining room)* ¿Ringo, estás debajo de la mesa? *(Pause)* No. ¿Estás dentro del gabinete? *(Pause)* No. ¿Estás detrás de las cortinas? *(Pause)* No. *(PAPÁ returns to the kitchen.)*

ABUELITA: ¿Está Ringo en el comedor?

PAPÁ: No. No sé donde está. No está debajo de la mesa. No está dentro del gabinete y no está detrás de las cortinas.

MAMÁ: Pues, vamos al campo sin Ringo.

LUCI: ¡No! ¡No podemos ir al campo sin Ringo! Le gusta mi dormitorio. Yo voy a buscarlo. *(LUCI goes to look for Ringo in her bedroom)* ¿Ringo, estás sobre mi cama? *(Pause)* No. ¿Estás debajo de mi cama? *(Pause)* No. ¿Estás dentro del ropero? *(Pause)* No. ¿Estás frente al espejo? *(Pause)* No. *(LUCI returns to the family in the kitchen.)*

BLAS: ¿Está Ringo en tu dormitorio?

LUCI: No. Ringo no está en mi dormitorio. No está sobre mi cama y no está debajo de la cama. No está en el ropero y no está frente al espejo. *(LUCI starts to cry.)* No quiero ir al campo sin Ringo.

MAMÁ: No llores, Luci. Quizás está en la oficina. Yo voy a buscarlo. *(MAMÁ goes to look for Ringo in the office)* ¿Ringo, dónde estás? ¿Estás en la silla? *(Pause)* No. ¿Estás al lado de la computadora? *(Pause)* No. ¿Estás escondido en el estante de libros? *(Pause)* No. ¿Estás detrás de la planta? *(Pause)* No. *(MAMÁ returns to the family in the kitchen.)*

ABUELITA: ¿Está Ringo en la oficina?

MAMÁ: No. No está en la oficina. No está en la silla. No está al lado de la computadora. No está escondido en el estante de libros y no está detrás de la planta.

PAPÁ *(Sadly):* Es tarde ya. Tenemos que ir al campo sin Ringo.

LUCI: ¡No! ¡No podemos ir al campo sin Ringo!

BLAS: ¡No quiero ir al campo sin Ringo!

ABUELITA: Luci, Blas, no sean ridículos. Ringo es un perro. No es una persona. No es un miembro de la familia.

LUCI: *(Howls in complaint against ABUELITA)* ¡Abuelita, Ringo sí es un miembro de la familia!

BLAS *(Also howling):* Abuelita, sí es un miembro de la familia. Ringo juega al fútbol conmigo. Usted no juega al fútbol conmigo. ¡Usted no entiende!

ABUELITA *(Disgusted)*: ¡Ay, qué niños! Yo los espero en la camioneta. *(ABUELITA exits, there is a pause, then ABUELITA returns and says wryly:)* Yo sé donde está Ringo. Ringo no está en la cocina, ni en la sala, ni en el comedor, ni en el dormitorio y ni en la oficina porque Ringo no está en la casa. Ringo... está en la camioneta. ¡Ringo está listo para ir al campo!

Act 12: Los cuartos y los muebles

Skit B: Edgar mira su programa favorito

Language Objectives:

Vocabulary: *el cuarto, la sala, el dormitorio, la cocina, la oficina, el patio,el sofá, el sillón, el televisor, la mesa, la alfombra, las cortinas, el espejo, el piano, la lámpara*

Additional vocabulary: *el programa, las palomitas, alcanzar, el mandado, los popotes*

Structures: *No hables, por favor. Tengo que practicar el piano. Quiero comer palomitas. ¿Puedo _____? No puedo (escuchar/concentrar...)*

Cast: 6 Actors

EDGAR (the father who wants some peace and quiet)
SUSI (EDGAR's daughter, about 5 years old)
DAVID (EDGAR's son, about 10 years old)
LARISA (EDGAR's older daughter, about 12 years old)
ELOISA (EDGAR's talkative wife)

Duration of performance: approximately 5 minutes

Optional Props/Sets: A basic livingroom set with a sofa, armchair, television, coffee table and area rug; a large bowl of popcorn on the table; SUSI needs an electronic keyboard; DAVID needs paper and a pencil; EDGAR needs a TV listings guide

Production Notes: When DAVID enters, he must block EDGAR's view of the TV screen. Everyone should dig into the popcorn as much as they want. Poor MAMÁ only has one entrance and dialogue at the very end of the skit.

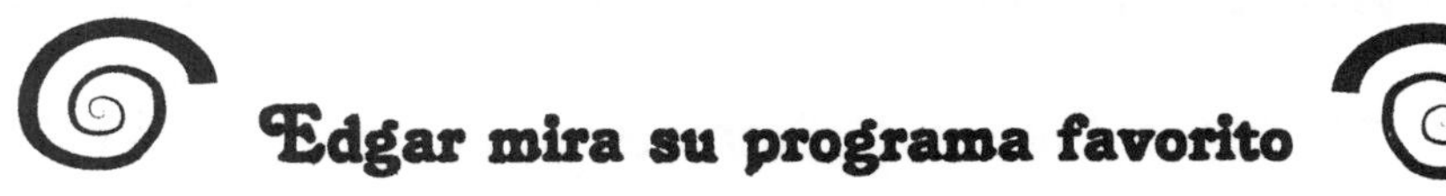

Edgar mira su programa favorito

[Edgar's favorite police drama comes on TV only one afternoon a week. This is it!]

EDGAR *(Turns the TV on, then sits down in his armchair with a satisfied sigh):* ¡Ahhh! Estoy contento. Estoy en mi sala... estoy sentado en mi sillón... hay palomitas en la mesa... miro mi televisor... ¡y es la hora de mi programa favorito! ¿Qué pasa en este episodio? *(He reads the TV listing)* "Carlos, el sargento, va a arrestar a un cartel de drogas pero no sabe que su esposa es la jefa de los criminales." ¡Caramba! ¡Qué emocionante! *(EDGAR concentrates on the TV screen.)*

SUSI *(Enters and starts practicing scales on the piano/keyboard)*

EDGAR: ¡Susi! ¿Qué haces tú?

SUSI: Tengo que practicar el piano, papá.

EDGAR: Pues, aquí no. Ahora no. Practica en otro cuarto.

SUSI: ¿En cuál cuarto, papá? David estudia matemáticas en la oficina y Larisa hace un projecto de ciencias en su dormitorio. Además el piano está en la sala. *(She starts to practice her scales again.)*

EDGAR: ¡Susi! Siéntate en el sofá y mira la tele — y no hables.

SUSI: Está bien. *(She sits down on the sofa, looks at the TV for a second)* Papá, quiero comer palomitas. *(No response from EDGAR)*

SUSI *(Louder):* ¡Papá! ¡Quiero comer palomitas!

EDGAR: Pues aquí están. Cómelas.

SUSI *(Standing between EDGAR and the TV screen):* Quiero sentarme contigo en el sillón, Papá, para comer las palomitas.

EDGAR: ¡Hija mía, no veo el televisor. Siéntate aquí en la alfombra— ¡y no hables!

SUSI: Está bien. *(Pause)* ¿Qué pasa en tu programa, papá?

EDGAR *(Growls):* No sé, Susi, porque no puedo concentrar en mi programa.

SUSI: ¡Qué lástima! *(She eats popcorn.)*

DAVID *(Enters with his math homework, stands in front of the TV):* Papá, no entiendo las matemá— *(With sudden delight)* ¡Palomitas!

EDGAR: Hijo mío. No veo el televisor. Siéntate en el sofá— y no hables, por favor.

DAVID: Está bien. *(Sits on the sofa)* No puedo alcanzar las palomitas desde aquí.

EDGAR *(Sighs):* Siéntate en la alfombra con tu hermana.

DAVID: Está bien... pero necesito luz para hacer mi tarea. ¿Puedo abrir las cortinas?

EDGAR: Sí, mi hijo, pero... no hables, por favor.

LARISA *(Enters):* Necesito seis popotes, una lata de jugo y un espejo pequeño para terminar mi proyecto de ciencias, papá.

EDGAR: Pues, búscalos en la cocina, Larisa.

LARISA: Papá, no hay un espejo en la coci— *(With delight)* ¡Palomitas! ¿Por que nadie me dice que hay palomitas? ¿Qué hacemos en la sala?

SUSI: Miramos el programa de papá.

LARISA: ¿Qué pasa en el programa?

EDGAR: ¿Quién sabe? No puedo escuchar ni una palabra.

DAVID: Pues, no es muy interesante. ¿Hago más palomitas para todos?

EDGAR *(Yells):* ¡Silencio! ¡Silencio todos! ¡Quiero ver mi programa! ¡Larisa, siéntate en el sofá! ¡David, cierra las cortinas! ¡Susi, no hables! ¡Todos – siéntense y miren al televisor!

[SUSI, DAVID and LARISA all sit quietly and stare at the TV. There is a long pause.]

SUSI: Este programa es aburrido, papá. Voy a la casa de Pati.

DAVID: Este programa no es muy interesante, papá. Voy a estudiar en mi cuarto.

LARISA: Este programa es tonto, papá. Voy a jugar en el patio con mi gatita.

EDGAR *(Finally all alone again):* ¡Ahhh! Sólo otra vez. ¡Finalmente! Estoy en mi sala... estoy sentado en mi sillón... hay palomitas en la mesa... miro mi televisor... Voy a ver el resto de mi programa favorito... ¡en paz!

ELOISA *(EDGAR's wife, enters, calling shrilly):* Mi amor, aquí estoy. El coche está lleno de mandado. Ayúdame a llevarlo a la cocina. ¡Y no vas a creer lo que pasó hoy en el mercado! Voy a decírtelo todo!

Act 12: Los cuartos y los muebles

Skit C: La alfombra nueva

Language Objectives:
Vocabulary: *la sala, la cocina, el sofá, la alfombra, la lámpara, las cortinas, el horno*
Additional vocabulary: *la maceta de cristál, las galletas, las migajas, el vaso*
Structures: *ahora mismo*

Cast: 4 Actors
PILAR (a young woman who is extremely proud of her new rug)
CHELA, MÓNICA, BLANCA (PILAR's friends)

Duration of performance: approximately 4 minutes

Optional Props/Sets: A sofa, coffee or side table, a lamp, a big rug; BLANCA needs a plate of chocolate cookies; CHELA needs a vase of flowers; MÓNICA needs some photos

Production Notes: Find the largest, prettiest, most colorful rug possible, as the rug is the sole focal point of the entire skit.
Extend this skit humorously by adding more friends who innocently threaten the perfection of the new rug, for example the friend who comes over with her poodle, and the friend who keeps sneezing.

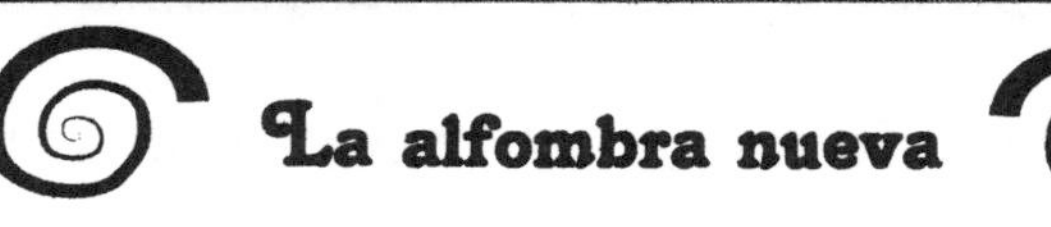

La alfombra nueva

[PILAR is so excited about her pretty, new rug that she invites her three best friends over to see it.]

PILAR *(Calls MÓNICA on the phone):* Hola, ¿Mónica? Habla Pilar. ¡Tengo una alfombra nueva! ¡Ven a mi apartamento para verla! ¿Está bien? ¡Qué bueno! Hasta pronto. *(PILAR hangs up, then dials CHELA)* Hola, ¿Chela? Habla Pilar. ¡Chela, tengo una alfombra nueva! ¡Ven a verla ahora mismo! *(She hangs up, then dials BLANCA)* Hola, ¿Blanca? Habla Pilar. ¡Blanca, tengo una alfombra nueva! ¿Quieres verla? *(Listens)* ¡Qué bueno! Ven a mi apartamento ahora mismo. Hasta pronto. *(PILAR sits on her sofa and happily admires her new rug)*

[There is a knock on the door. PILAR opens the door. Her three friends are outside.]

PILAR: ¡Chela! ¡Mónica! ¡Blanca! Entren, por favor. Vengan a la sala para ver mi nueva alfombra. Voy a prender la lámpara y pueden verla mejor. *(PILAR turns on the lamp.)* ¿Les gusta?

BLANCA: Sí, Pilar, tu alfombra nueva es muy bonita.

CHELA: Tiene los colores de las cortinas y del sofá.

MÓNICA: Es muy elegante.

PILAR: Siéntense aquí en el sofá. Pueden ver la alfombra muy bien desde el sofá. *(The three friends sit on the couch.)*

BLANCA: Pilar, tengo un regalo para tí. Son galletas de chocolate, calientes del horno.

PILAR: Gracias, Blanca... pero no podemos comerlas porque no quiero migajas en mi alfombra nueva.

CHELA: Pilar, yo tengo algo para tí también. Flores en una maceta de cristal. Ponlas en la mesa.

PILAR: Gracias, Chela. Las flores son muy bonitas pero no puedo poner la maceta en la mesa, porque la mesa está cerca de la alfombra, y no quiero pétalos en mi alfombra nueva. Voy a poner la maceta en la cocina. *(She takes the vase of flowers to the kitchen and returns.)*

MÓNICA: Pilar, tengo las fotos de mi viaje a San Diego. ¡Vamos a verlas! *(MÓNICA lies down on the rug and spreads out her photos.)*

PILAR: ¡Mónica! ¡Párate! ¡No te acuestes en mi alfombra nueva, por favor! Es nueva y está muy limpia.

[MÓNICA stonily gathers her photos and sits back on the sofa. All three friends look glumly at the rug.]

BLANCA *(In a monotone):* Los colores son bonitos.

PILAR *(Happily):* Sí.

CHELA: Es muy suave.

PILAR *(Nods):* Sí.

MÓNICA: Es elegante.

PILAR *(Smiles):* Sí. Sí es.

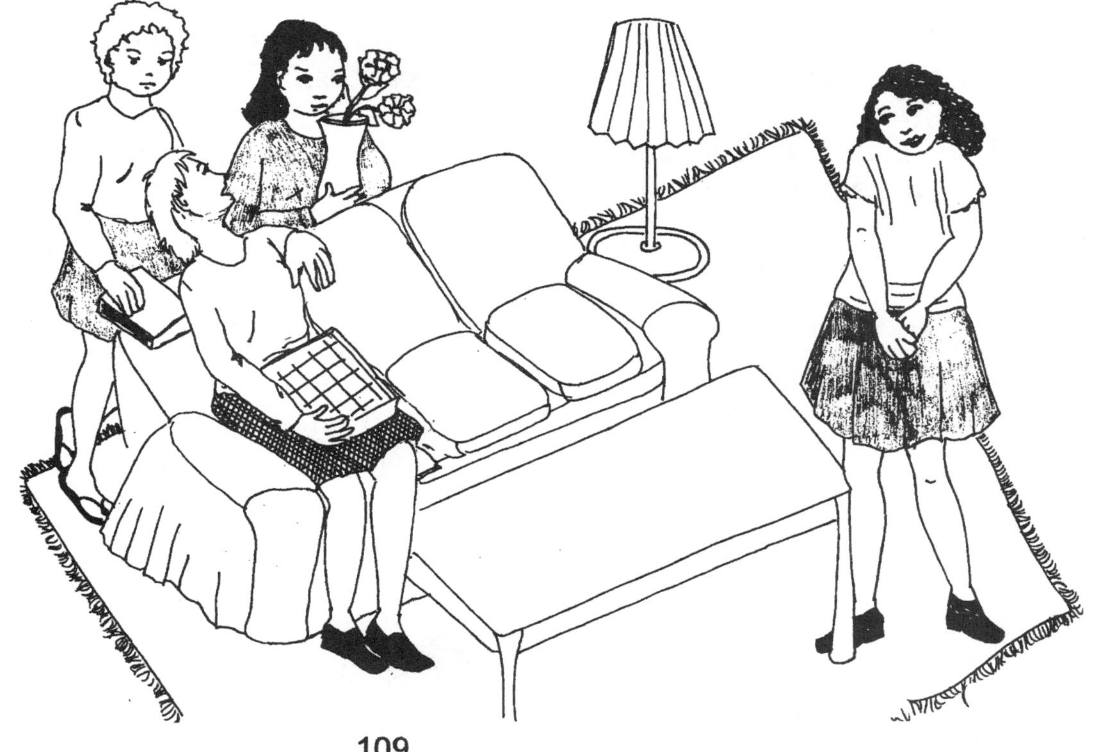

[There is an uncomfortable silence as ALL look at the rug; only Pilar looks happy.]

MÓNICA: Pues, es tarde. Tengo que... ir al banco. Adiós, Pilar. *(MÓNICA exits)*

CHELA: Yo tengo que ir... al banco también. Voy contigo, Mónica. *(CHELA exits)*

BLANCA: ¡Espérenme! ¡Voy con ustedes! ¡Adiós, Pilar! *(BLANCA exits)*

PILAR: Yo quiero mirar mi alfombra nueva. *(She admires her rug from different parts of the room)* Desde el sofá... Desde la lámpara... desde la puerta... ¡Qué bonita es! *(Pause)* ¿Ahora qué hago? Quiero escribir... ¿pero qué pasa si el bolígrafo se cae en mi alfombra nueva? Tengo sed... ¿pero qué pasa si el vaso se cae en mi alfombra nueva? *(Long pause)* Estoy aburrida. Estoy muy sola. Mi casa está muy silenciosa. Extraño a mis amigas. *(PILAR races to the door and calls her friends, who are still outside.)* ¡Mónica! ¡Chela! ¡Blanca! ¡Vénganse, por favor!

MÓNICA, CHELA, BLANCA *(From off-stage):* No, gracias, Pilar. Estamos ocupadas.

PILAR: ¡Pero vamos a celebrar mi nueva alfombra!

[MÓNICA, CHELA, BLANCA return reluctantly.]

CHELA *(Dubiously):* ¿Cómo vamos a celebrar tu nueva alfombra, Pilar?

PILAR: ¡Vamos a comer las galletas, vamos a poner la maceta de flores en la mesa para gozarlas, y luego, vamos a acostarnos en mi alfombra nueva para mirar tus fotos!

[MÓNICA, CHELA, BLANCA happily put the vase of flowers on the table, eat the cookies and lie on the rug to look at the photos.]

PILAR *(Exclaims to no one in particular):* ¡Esto es mucho mejor! ¡Una alfombra nueva no es nada especial sin amigas!

Act 13: Las frutas

Skit A: La ensalada de frutas

Language Objectives:

Vocabulary: *las frutas (la ensalada de frutas, la manzana, la pera, las fresas, el limón, la naranja, el plátano, las uvas, el melón, la piña, el coco, el durazno, las cerezas, el aguacate, las semillas, la cáscara)*

Additional vocabulary: *la receta, cocinar, cortar, lavar, la caserola, el jamón, el queso, los sándwiches, las papitas, la leche*

Structures: *Discúlpame. ¡Qué rico! No sé qué hacer.*

Cast: 3 Actors

ADRIANA (an unimaginative and flustered young lady)
RAMONA (ADRIANA's friend, the cooking expert)
ROBERTO (ADRIANA's boyfriend)

Duration of performance: approximately 5 minutes

Optional Props/Sets: A countertop, two cutting boards, two knives, the following fruits: a red and a green apple, one orange, one pear, strawberries, one banana, one lemon, one bunch of grapes

Production Notes: The skit will be shorter if plastic fruit is used which is (obviously) not actually cut into pieces. If using real fruit, have several pieces of each fruit on the counter so that each actor may refer to them throughout the skit.

ROBERTO has a rather minor and colorless role; he enters with only two lines at the tail end of the skit.

There are many funny ways to extend this skit: 1) add more fruits and manipulate them incorrectly. For example, ADRIANA tries to cut the cherries and to peel the mango like a banana; 2) have ADRIANA try to add foods for the sake of their colors that are not fruits but vegetables (such as carrots and celery) so that RAMONA must explain the difference between fruits and vegetables (fruits have seeds, which means that tomatoes and avocados are actually fruits!)

3) Have ADRIANA continuously eat the fruit as she cuts it.

La ensalada de frutas

[ADRIANA is about to have her first cooking lesson. She will learn how to make a delicious fruit salad.]

ADRIANA *(Fretfully):* Ramona, tengo un problema grande. ¡No sé qué hacer!

RAMONA: ¿Cuál es el problema?

ADRIANA: Roberto viene a cenar conmigo esta noche, y tengo que preparar algo delicioso... y no sé cocinar.

RAMONA *(Incredulously):* ¿No sabes cocinar nada?

ADRIANA: No... nada. Cuando estoy sóla, como sándwiches con papitas o cereal con leche. Es todo.

RAMONA: ¿Por qué no preparas una ensalada de frutas?

ADRIANA: Es una buena idea, pero no sé cómo. No tengo la receta.

RAMONA: Adriana, no necesitas una receta para preparar una ensalada de frutas. Simplemente cortas las frutas que quieres y las pones en una caserola.

ADRIANA: Sí, ¿pero cuáles frutas? ¿Manzanas con peras? ¿O peras con cerezas? ¿O qué?

RAMONA: No importa, Adriana, todas las frutas son deliciosas juntas. Manzanas con melón... Duraznos con cerezas... Piñas con fresas...

ADRIANA: ¿Aguacate con coco?

RAMONA: ¡Uf! Pues... no.

ADRIANA *(Fretfully):* ¡Entonces no sé qué hacer!

RAMONA: Adriana, yo te ayudo. ¿Cuáles frutas tienes en la casa?

ADRIANA: Tengo manzanas.

RAMONA: Muy bien. Lava una manzana, córtala y ponla en la caserola.

ADRIANA: ¿Una manzana roja o una verde?

RAMONA *(Sarcastically):* Vamos a ser valientes... Ambos, roja ***y*** verde.

ADRIANA *(Slices apples, places them in the bowl):* ¿Es todo? Se ve como una ensalada de manzana.

RAMONA: No, tonta, no es todo. ¿Cuáles otras frutas tienes en casa?

ADRIANA: Tengo... peras. Tengo naranjas también.

RAMONA: Muy bien. Corta una pera y una naranja y ponlas en la caserola.

ADRIANA: ¿Con las semillas de la pera y la cáscara de la naranja?

RAMONA: Pues, ¿comes las semillas de la pera y la cáscara de la naranja?

ADRIANA: ¡Blech! No.

RAMONA: Entonces, no vas a poner las semillas ni la cáscara en la ensalada. Tú– corta la pera y yo corto la naranja. *(They cut up the pear and orange, and mix them in the bowl)*

ADRIANA: ¿Está lista mi ensalada de frutas?

RAMONA: No, todavía no. ¿Cuáles otras frutas tienes en casa?

ADRIANA: Tengo jamón.

RAMONA *(Patiently):* Jamón no es una fruta, Adriana.

ADRIANA: Ay discúlpame. Tengo... plátanos y uvas.

RAMONA: Excelente. Vamos a cortar un plátano. *(ADRIANA starts carrying the banana away)* ¿A dónde vas con el plátano, Adriana?

ADRIANA: Voy a lavarlo.

RAMONA: No, Adriana, no tienes que lavar un plátano. Dame el plátano, Adriana. *(RAMONA peels it, slices it and adds it to the bowl.)* Ahora pon las uvas.

ADRIANA *(Starts to put the entire bunch in)*

RAMONA: No, no, no, Adriana. Una uva a la vez... Así... *(RAMONA demonstrates putting the grapes in one at a time.)*

ADRIANA: ¿Cómo voy a recordar esta receta? *(Looks in the bowl)* Mi ensalada de frutas es muy bonita... pero necesita más color.

RAMONA: ¿Tienes una fruta roja en casa, Adriana?

ADRIANA: Hmmm... Queso. *(Corrects herself)* No, el queso no es rojo.

RAMONA: Y el queso no es una fruta tampoco, Adriana. ¿Tienes fresas o cerezas?

ADRIANA: ¡Sí! ¡Tengo fresas!

RAMONA: Pues vamos a lavar y cortar unas fresas. *(She cuts and add some strawberries.)* Ahora ponemos un poco de jugo de limón... *(She cuts a lemon and squeezes the juice into the bowl.)* ¡Ya! ¡Está lista! Adriana, ésta es tu ensalada de frutas.

ADRIANA: ¡Gracias, Ramona!

[Later that night, at dinner]

ROBERTO: ¿Qué vamos a cenar, Adriana?

ADRIANA *(Nonchalantly):* Pues, tengo una ensalada de frutas. *(She comes out with the big bowl of fruit salad)*

ROBERTO: ¡Qué rico! *(He gently teases her)* Y tú siempre dices que no sabes cocinar nada.

ADRIANA: Ay, Roberto, tonto... ¡Todo el mundo sabe hacer una ensalada de frutas!

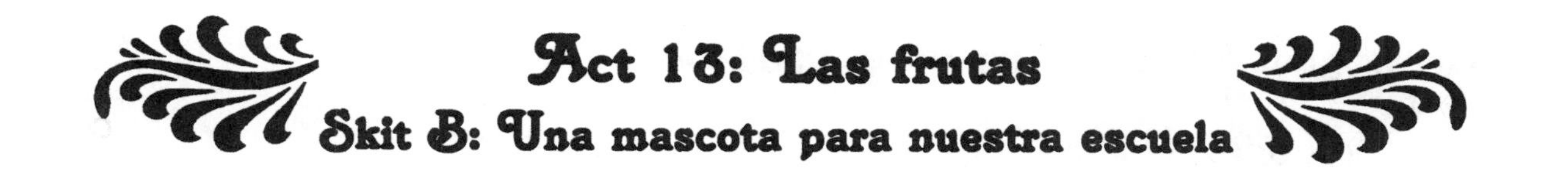

Act 13: Las frutas

Skit B: Una mascota para nuestra escuela

Language Objectives:

Vocabulary: *las frutas (la piña, la manzana, la pera, las fresas, el limón, las uvas, las cerezas, los duraznos, el racimo de uvas, el coco)*

Additional vocabulary: *jugoso(a), dulce, la cáscara, las espinas, duro(a), redondo(a), la mascota*

Structures: *None*

Cast: 4 Actors

Sr. BERNAL (the impartial and personable principal of the new high school)
GREGORIO (an exuberant student with novel ideas)
MANOLO, SANTI, NACHO (rough-and-tumble student athletes)

Duration of performance: approximately 4 minutes

Optional Props/Sets: a teacher's desk, four chairs

Production Notes: MANOLO, SANTI, NACHO react with scathing comments to GREGORIO's ideas; they think he's weird. GREGORIO has the most demanding role in the skit.

Una mascota para nuestra escuela

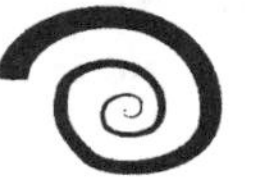

[The principal, Sr. BERNAL, asks students MANOLO, SANTI, NACHO and GREGORIO to choose a mascot to represent their new school.]

Sr. BERNAL: Jóvenes, bienvenidos. Soy el Sr. Bernal, el director de su nueva escuela. Necesito su ayuda. La escuela está lista; hay maestros, pupitres, sillas y computadoras, pero todavía no tenemos una mascota para representar la escuela. ¿Quién tiene una idea?

MANOLO *(Thinking):* Pues, no podemos ser "Los Tigres" porque el tigre ya es la mascota de la Escuela Jefferson.

SANTI: Y no podemos escoger "Las Panteras" porque la pantera ya es la mascota de la Escuela Dezavala.

NACHO: No podemos escoger "Los Lobos" tampoco. El lobo ya es la mascota de la Escuela Robles.

GREGORIO: *(Jumps up)* ¡Yo sé! ¡Yo tengo una idea! ¡Podemos ser "Las Piñas!"

[This suggestion is met with total silence and disbelief.]

NACHO: "¿Las Piñas?" Gregorio, es una broma, ¿verdad?

SANTI: Gregorio, la piña es una fruta.

GREGORIO: Sí, yo sé. La piña es la fruta más grande y poderosa de todas. Si tú pones una piña al lado de manzanas, fresas, cerezas, limónes, peras, duraznos... ¿quién gana? ¡Cuál fruta es el líder de todas?

MANOLO: Gregorio, estás loco.

GREGORIO: ¡Pero piensen en la piña! Es grande. Tiene una cáscara dura, tiene espinas, es pesada, es gruesa...

SANTI: Gregorio, ***tú*** eres una piña.

Sr. BERNAL: Muchachos, muchachos... Gregorio, es una idea interesante, pero imagina nuestro equipo de fútbol en el estadio durante el partido...

MANOLO *(Laughing):* Sí, y el anunciador dice *(In a fake announcer's voice)* —¡Y aquí están Las Piñas Luchadores!"

SANTI: —¡Jugosas!"

NACHO: —¡Dulces!"

GREGORIO *(Dejected):* Está bien, está bien. *(Sits, slumps down in chair)*

Sr. BERNAL *(To the group):* Pues, ¿qué tal una mascota de la historia?

SANTI *(Thinking):* "¿Los Vaqueros?"

MANOLO: "¿Los Bandidos?"

NACHO: "¿Los Patriotas?"

GREGORIO: ¡Yo sé! ¡Yo tengo una idea! *(Jumps up)* Podemos ser "Las Uvas!"

MANOLO *(Rolls his eyes)*: ¡Otra vez con las frutas!

Sr. BERNAL: ¡Muchachos, muchachos! Tenemos que escuchar a Gregorio. ¿Por que "Las Uvas," Gregorio?

GREGORIO: Pues, una uva sola es algo muy pequeña y no es importante... una uva sola es tan insignificante como una sola cereza o una sola fresa, pero ***un racimo*** de uvas, pues... pues, un racimo es algo denso... fuerte... Hay fuerza en un ***racimo*** de uvas.

SANTI: Gregorio, ***tú*** eres una uva.

NACHO: Gregorio, yo, con un sólo pie, puedo pisar un racimo de uvas y hacerlo jugo.

MANOLO *(Complaining):* ¿Quién invitó a Gregorio a esta junta?

Sr. BERNAL: Gregorio, creo que una uva no es una mascota muy buena para nuestra escuela, pero gracias. Es una idea... original. *(To the group)* Jóvenes, ¿qué tal una mascota que personifica una condición del tiempo?

SANTI: ¡Yo sé! "¡Los Huracanes!"

NACHO: "¡Los Tornados!"

MANOLO: "¡Los Terremotos!"

GREGORIO *(Jumps up):* ¡Yo tengo una idea! "¡Los Cocos!" *[Everyone is quiet and stares at GREGORIO, he tries to explain]* Pues, los cocos son duros y redondos. Los cocos se ven muy machos... ¡y además, vienen de Hawaii!

SANTI: ***Tú*** eres un coco, Gregorio.

NACHO: ¿Y sabes lo que hacemos con los cocos, Gregorio?

GREGORIO: No. ¿Qué?

MANOLO: ¡Los mandamos a Hawaii! *(MANOLO, NACHO and SANTI all pick up GREGORIO by the arms and legs, and carry him out of the office.)*

Sr. BERNAL *(To himself):* Muchachos, muchachos... Yo tengo una mascota para nuestra escuela... *(Holding his head)* "¡Los Dolores de Cabeza!"

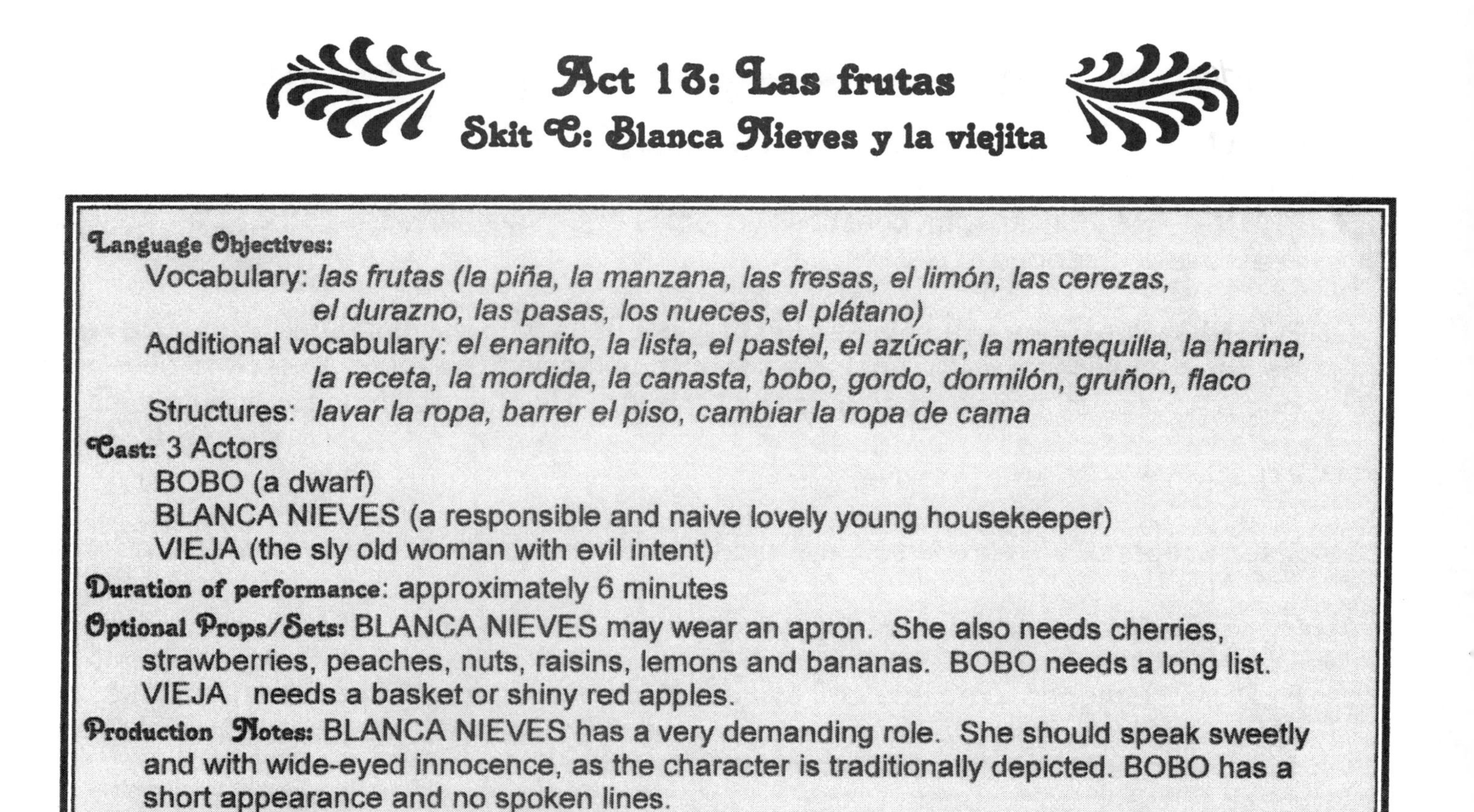

Act 13: Las frutas
Skit C: Blanca Nieves y la viejita

Language Objectives:
Vocabulary: *las frutas (la piña, la manzana, las fresas, el limón, las cerezas, el durazno, las pasas, los nueces, el plátano)*
Additional vocabulary: *el enanito, la lista, el pastel, el azúcar, la mantequilla, la harina, la receta, la mordida, la canasta, bobo, gordo, dormilón, gruñon, flaco*
Structures: *lavar la ropa, barrer el piso, cambiar la ropa de cama*

Cast: 3 Actors
BOBO (a dwarf)
BLANCA NIEVES (a responsible and naive lovely young housekeeper)
VIEJA (the sly old woman with evil intent)

Duration of performance: approximately 6 minutes

Optional Props/Sets: BLANCA NIEVES may wear an apron. She also needs cherries, strawberries, peaches, nuts, raisins, lemons and bananas. BOBO needs a long list. VIEJA needs a basket or shiny red apples.

Production Notes: BLANCA NIEVES has a very demanding role. She should speak sweetly and with wide-eyed innocence, as the character is traditionally depicted. BOBO has a short appearance and no spoken lines.

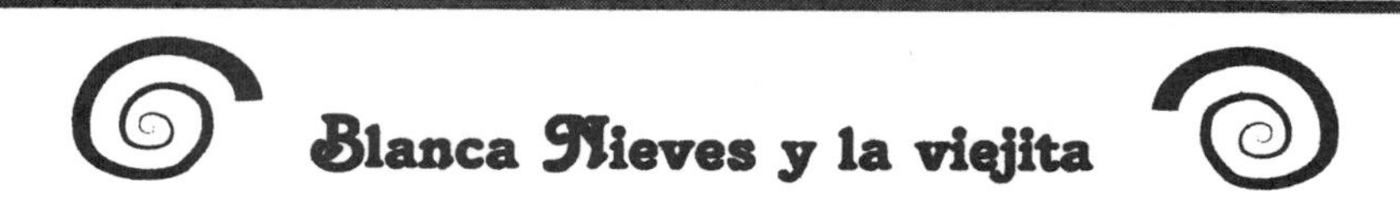

Blanca Nieves y la viejita

[This skit is a parody on the fairy tale, "Snow White" beginning at the point in which Snow White is visited by an ugly old crone, who offers her a poisoned apple.]

BLANCA NIEVES *(Wearing an apron, stands at the counter):* ¡Tengo mucho que hacer hoy! Tengo que lavar la ropa, barrer el piso, cambiar la ropa de cama...

BOBO *(Enters holding a list, goes up to BLANCA NIEVES and grins widely)*

BLANCA NIEVES: Buenos días, Bobo. ¿Cómo estás?

BOBO *(Smiles, nods his head happily)*

BLANCA NIEVES: ¿Tienes algo para mí?

BOBO *(Nods his head vigorously and gives BLANCA NIEVES the list)*

BLANCA NIEVES *(Reads the list, looking at BOBO, who nods yes to everything):* ¿Ustedes quieren pasteles? ¿Pasteles de frutas? ¿Y cada enanito quiere un pastel diferente? ¡Ay de mí!

BOBO *(Happily waves goodbye and exits)*

BLANCA NIEVES: ¡Siete pasteles! Bueno, los siete enanitos son muy amables y me quieren mucho. A ver... *(She reads the list, setting the fruits out as she names them)* Doc quiere un pastel de durazno... Flaco quiere un pastel de limón. No hay problema; tengo duraznos y limones. Dormilón quiere un pastel de cerezas... y Gruñon quiere un pastel de pasas y nueces. Bueno, tengo las cerezas, pasas y nueces, pero no tengo una receta para hacer un pastel de pasas y nueces. Esto es un problema. Bobo quiere un pastel de plátano y Chato quiere un pastel de piña. Pues, tengo los plátanos, pero no tengo una piña ¿Qué voy a hacer? Gordo quiere un pastel de fresas... tengo fresas. Y tengo harina, mantequilla, azúcar y agua. ¡Voy a empezar!

[There is a knock at the door. BLANCA NIEVES goes to answer it. It is an ugly old woman who is carrying a basket full of lovely apples.]

BLANCA NIEVES: ¡Buenas tardes!

VIEJA: Buenas tardes, señorita. ¿Qué haces tú?

BLANCA NIEVES: Bueno, voy a hacer pasteles para los siete enanitos que viven aquí, porque son muy amables y me quieren mucho. *(She reads her list)* Doc quiere un pastel de durazno. Flaco quiere un pastel de limón. Dormilón quiere un pastel de cerezas, Gruñ—

VIEJA: Sí, sí, sí... Muy interesante. ¿Puedo entrar?

BLANCA NIEVES: Lo siento mucho, pero no. No es mi casa; es la casa de los siete enanitos. Son muy amables y me quieren mucho.

VIEJA: ¿Dices que vas a hacer pasteles de durazno, limón y cerezas. ¿No quieres hacer un pastel de manzana?

BLANCA NIEVES: Ningún enanito quiere un pastel de manzana. Mi lista dice —un pastel de durazno, un pastel de limón, un pastel de cerezas, un pastel de—

VIEJA: A los hombres, les gustan mejor las manzanas.

BLANCA NIEVES: Pues, estos enanitos, no. Ellos específicamente quieren pasteles de...

(She starts to read the list again) durazno, limón, cerezas, pasas—

VIEJA *(Annoyed):* ¡Dame esta lista! *(She grabs it, crumples it up and throws it away)*

BLANCA NIEVES *(Horrified):* ¡Mi lista! *(Closes her eyes, tries to remember)* Bobo quiere plátano, Gruñon quiere piña, ¡no! Gruñon quiere pasas con... con... ¡Ay, no me acuerdo! ¿Qué voy a hacer!

VIEJA: No te desesperes, señorita. A los hombres, les gustan mejor las manzanas. Y mira mi canasta. Tengo las manzanas más bonitas del mundo.

BLANCA NIEVES *(Admits):* Sí, sí son muy bonitas.

VIEJA *(With an evil smile):* Prueba una, señorita. Son dulces y jugosas.

BLANCA NIEVES *(As if in a trance):* ¡Qué bonito color rojo! ¡Cómo brillan!

VIEJA *(In a wheedling voice):* Sí, sí... Toma una mordida pequeña, señorita.

BLANCA NIEVES *(Suddenly returns to reality):* ¿No tiene usted una piña en su canasta? Un enanito... no me acuerdo quién... quiere un pastel de piña.

VIEJA *(Sighs angrily)* No, no tengo una piña.

BLANCA NIEVES: Puede ser una piña pequeña, no necesita ser grande.

VIEJA: ¡No tengo piñas! ¡Tengo manzanas!

BLANCA NIEVES *(Annoyed):* ¡Pues, nadie aquí quiere un pastel de manzana! ¿Tiene usted una receta para hacer un pastel de pasas y nueces?

VIEJA: ¡No!

BLANCA NIEVES: Señora, lo siento mucho, pero yo tengo mucho trabajo en la casa. Tengo que lavar la ropa, barrer el piso, cambiar la ropa de cama, hacer siete pasteles de frutas para los siete enanitos que viven aquí, porque son muy amables y me quieren mucho... *(Glares at VIEJA)* ... aunque ya no tengo mi lista. *(Closes her eyes and tries to remember)* Doc quiere un pastel de durazno. Flaco quiere un pastel de limón. Dormilón quiere un pastel de cerezas...

VIEJA *(Runs off-stage with her basket of apples, screaming with frustration)*

BLANCA NIEVES *(Calls after VIEJA):* Adiós.. ¡Oiga! Si usted quiere, tengo una receta excelente para hacer un pastel de manzana!

Act 14: La comida

Skit A: El restaurante mexicano

Language Objectives:

Vocabulary: *la comida (el arroz, el pollo, el pico de gallo, la ensalada mixta, los tomates, la cebolla, el cilantro, los chiles, el té helado, las enchiladas de queso, los tacos de pescado, la hamburguesa, las papas fritas, el guacamole, los frijoles, los chiles rellenos, la carne, tortillas de harina, la soda, el hielo, el coctel de camarones)*

Additional vocabulary: *el mesero, picoso(a)*

Structures: *¿Están listos para ordenar? Me gustaría* ____.

Cast: 5 Actors

MESERO (the waiter)

Sra. LARA (the enthusiastic and assertive Spanish teacher)

GISELA, TOMÁS, MIGUEL (Spanish students, either teen or pre-teen ages)

Duration of performance: approximately 4 minutes

Optional Props/Sets: MESERO may have an order pad and pencil; Sra. LARA, GISELA, TOMÁS and MIGUEL need a table and chairs, and menus.

Production Notes: Extend this lesson by allowing the students to create their own Mexican restaurant menus.

The joke in this skit is that the waiter doesn't speak Spanish. MESERO must look attentive to the customers, but at the end of the skit, he will speak in English (the only English lines in any skit in this book!)

Lengthen this skit by adding a role for a vegetarian student who questions the ingredients in each (remember that Sra. LARA must answer, as the waiter does not speak Spanish.)

El restaurante mexicano

[Sra. LARA's class is celebrating the end of their food unit with a visit to a local Mexican restaurant, where they will order their food in Spanish.]

MESERO *(Hands out menus, then waits, holding his order pad and pencil):* Buenas tardes. Bienvenido a Neftilia's.

Sra. LARA: Gracias. Estos son los alumnos de mi clase de español.

MESERO *(Nods his head in greeting):* Buenas tardes.

Sra. LARA: Estudiamos la comida y como pedir la comida en un restaurante mexicano. Por eso estamos aquí. Mis alumnos van a hablar solamente en español. *(To students)* ¿Están listos para ordenar?

GISELA, TOMÁS, MIGUEL: Sí.

Sra. LARA: Bien. Gisela, tú primero.

GISELA: Arroz con pollo, por favor.

Sra. LARA: En una frase completa, Gisela.

GISELA: Me gusta el arroz con pollo, por favor.

Sra. LARA: No, Gisela. Es "Me gustaría..." o "Quiero..." o "Quisiera...." arroz con pollo, por favor." Repita.

GISELA: Quiero arroz con pollo, por favor.

Sra. LARA *(Looking at the menu):* El menú dice que el arroz con pollo viene con pico de gallo y ensalada mixta. ¿Quieres ensalada mixta y pico de gallo, Gisela?

GISELA: No sé. ¿Qué es pico de gallo?

TOMÁS *(Pipes up):* ¡Yo sé! Es una ensalada de tomates, cebolla, cilantro, chiles y jugo de limón. Mi abuela en Monterrey siempre hace pico de gallo. Me gusta mucho. Mi abuela sirve pico de gallo con huevos, con bistek, con pollo... ¡Con todo! ¡Aún con jamón y huevos! Es rico.

GISELA *(To the waiter):* Sí, por favor. Quiero ensalada mixta y pico de gallo. Y té.

Sra. LARA *(Prompting GISELA):* Una frase completa, Gisela. *(Prompts)* Quiero....

GISELA: Quiero un vaso de té helado, por favor.

Sra. LARA: Muy bien, Gisela. Ahora, Miguel, dile al mesero que quieres ordenar.

MIGUEL: ¿Qué? No entiendo.

Sra. LARA *(Slowly and patiently):* ¿Qué quieres comer, Miguel? Dile al mesero.

MIGUEL: O, entiendo. Quiero tres enchiladas de queso, tres tacos de pescado y una hamburguesa con papas fritas.

Sra. LARA: Miguel, es mucha comida. No puedes comer tanto.

MIGUEL: ¿Qué? No entiendo.

Sra. LARA: Pide un plato, Miguel. Un sólo plato.

MIGUEL: Un plato... está bien. *(Looks at menu again)* Quiero... tres enchiladas de queso... No, quiero seis... seis enchiladas de queso, arroz, guacamole, frijoles, ensalada y leche.

Sra. LARA *(Prompting):* Y un vaso de leche.

MIGUEL: Y un vaso de leche.

Sra. LARA: Por favor.

MIGUEL: Por favor.

Sra. LARA: Bien. Ahora, Tomás, dile al mesero que quieres ordenar.

TOMÁS: Me gustaría comer dos chile rellenos, uno de carne y el otro de queso. Y, por favor, quiero frijoles fritos y tortillas de harina. Y para tomar me gustaría una soda con hielo.

Sra. LARA: ¡Excelente, Tomás! ¿Pero tú sí sabes que los chile rellenos son muy picosos, no?

TOMÁS: ¡Claro que sí! Me gusta todo lo picoso. ¡Mi familia es de Monterrey!

Sra. LARA: Muy bien. *(To MESERO)* Y a mí me gustaría un coctel de camarones y tacos de camarones. Me gustan mucho los camarones. Ya. Es todo. *(She applauds her students)* Nosotros ordenamos todo en español! ¡Muy bien! *(To MESERO)* ¿Está bien?

MESERO *(With befuddled surprise):* What? Oh! You were talking to me? I um, I really didn't understand anything. I, uh... I don't speak Spanish! All they taught me to say here is "Buenas tardes" and "Bienvenidos a NEFTILIA's!"

Act 14: La comida
Skit B: Avena

Language Objectives:

Vocabulary: *la comida (el pan tostado, la mermelada de fresas, el jugo de naranja, la avena, el azúcar, la mantequilla, los huevos, el cereal, el tocino, el pan francés, las galletas de chocolate)*

Structures: *Me gusta(n)* ____. *No me gusta(n)* _____. *Pruébala. Odio* ______.

Cast: 5 Actors
- MAMÁ
- PAPÁ (a stern, no-nonsense kind of guy)
- BETI (PABLO's sister, between 9-13 years old)
- PABLO (the stubborn son, between 7-10 years old)

Duration of performance: approximately 5 minutes

Optional Props/Sets: a breakfast table and chairs for the four family members; four bowls of oatmeal (bowls may actually be empty); four spoons, four glasses, toast, butter, sugar, marmalade, a pitcher of orange juice, milk, some chocolate cookies, a newspaper

Production Notes: PABLO may grimace and pout about the oatmeal to his heart's content. PAPÁ is stern about the food rules, but MAMÁ is gentle and conciliatory. (This skit, by the way, is a true family story taken from the author's breakfast table.)
Feel free to add dialogue with additional breakfast foods, such as *salchicha, hot cakes, pan dulce* and *café.*

[The ROJAS family is seated at the table ready to eat their Saturday breakfast.]

BETI: ¿Mamá, qué vamos a comer para el desayuno?

MAMÁ: Vamos a comer pan tostado con mermelada de fresas...

PABLO: ¡Me gusta el pan tostado con mermelada de fresas!

MAMÁ: Plátanos y naranjas...

PABLO: ¡Me gustan plátanos y naranjas!

MAMÁ: Jugo de naranja...

PABLO: ¡Me gusta el jugo de naranja!

MAMÁ: Y avena.

PABLO: ¡No me gusta la avena!

PAPÁ *(Sternly):* Tienes que comer tu avena si quieres jugar afuera hoy.

PABLO: ¡Pero odio la avena!

[MAMÁ serves toast, marmalade, juice and fruit, which ALL choose, and she ladles the oatmeal into bowls)

BETI *(Eating the oatmeal with gusto):* La avena es deliciosa, Mamá.

PABLO *(Crossing his arms stubbornly)* No me gusta la avena. Odio la avena.

PAPÁ: No vas a levantarte de la mesa hasta comer tu avena.

MAMÁ: A mí me gusta la avena con azúcar. *(Pushes the bowl of brown sugar to PABLO)* Pon azúcar en tu avena y pruébala. *(PABLO sprinkles the sugar on his oatmeal)*

PABLO *(Tries it):* ¡Blech! ¡No me gusta la avena con azúcar!

BETI: A mí me gusta mantequilla en mi avena. *(Pushes the butter to PABLO)* Pon mantequilla en tu avena y pruébala.

PABLO *(Puts butter in his oatmeal and stirs it and samples it):* ¡Blech! ¡No me gusta la avena ni con mantequilla... ni con azúcar!

PAPÁ: A mí me gusta la avena con leche. *(Pushes the milk carton to PABLO)* Pon leche en tu avena y pruébala.

PABLO *(Pours milk on his oatmal and tries it):* ¡Blech! ¡Es horrible! ¡No me gusta la avena ni con leche, ni con mantequilla y ni con azúcar!

PAPÁ: Pues no vas a jugar con los amigos hasta terminar tu avena.

PABLO: Me gustan los huevos y el cereal. ¿Puedo comer huevos y cereal?

PAPÁ: No. Hoy nuestra familia come avena para el desayuno.

PABLO: Me gusta el pan francés y tocino. ¿Puedo comer pan francés y tocino?

PAPÁ: No. Hoy nuestra familia come avena para el desayuno.

BETI: Papá, ya terminé. ¿Puedo salir?

PAPÁ: Sí, mi hija.

[BETI Exits. MAMÁ, PAPÁ and PABLO all sit at the table resolutely.]

PABLO *(Crossing his arms):* Odio la avena. Si yo como la avena voy a vomitar en la mesa.

[PAPÁ ignores PABLO and reads the paper, MAMÁ clears the table. PABLO looks at them for a long time, then sighs, and grimacing, quickly gobbles up all of his oatmeal.]

PABLO *(Shows PAPÁ his empty bowl):* Ya terminé. ¿Puedo salir?

PAPÁ: Muy bien. Sí.

PABLO: Pero tengo el sabor de la avena en mi boca y es horrible. Mamá, por favor dame una galleta para quitar el sabor de la avena.

MAMÁ: Sí, mi hijo. Ve a jugar. *(She gives PABLO some cookies and he exits happily. (MAMÁ looks after PABLO, starts laughing)*

PAPÁ: ¿Qué pasa? ¿Por qué te ríes?

MAMÁ: ¡Ay, mi Pablito! Quiere galletas para quitar el sabor de la avena. Ahora está muy contento con sus galletas.

PAPÁ: ¿Y qué?

MAMÁ: Son galletas de chocolate... ¡y de avena!

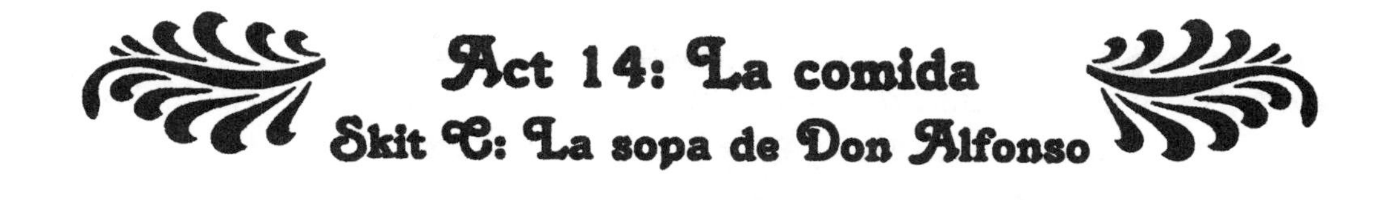

Act 14: La comida
Skit C: La sopa de Don Alfonso

Language Objectives:

Vocabulary: *la comida (los tacos de carne, el arroz, los frijoles, las papas, el pollo, las zanahorias, la cebolla, los tomates, el maiz, el agua, la sal, la pimienta, los ejotes, el apio, el ajo, los chiles, el pescado, los fideos, los hot dogs, la salsa de tomate, los pepinos, la leche, las galletas, el queso, la calabaza, el jugo de naranja, la avena, la mayonesa, el azúcar, el cereal, la lechuga, las palomitas, la harina, el pollo frito, las papas fritas, la ensalada mixta, el compote de manzana, el pastel de chocolate)*

Additional vocabulary: *los ingredientes, el desayuno, el almuerzo, la cena, el detergente, la toalla, la llamada telefónica*

Cast: 3 Actors
NARRADOR
CONCHA (ALFONSO's loving wife)
ALFONSO (a lazy husband)

Duration of performance: approximately 7 minutes

Optional Props/Sets: CONCHA needs a meal tray, a small suitcase and a shopping bag with take-out food containers; ALFONSO needs a remote control, an armchair, a large pot with a cover and a soup ladle.

Production Notes: A massive number of food items are named in this skit. Over the school year you may gather empty boxes and bottles (i.e. mayonnaise bottles, cereal boxes, *etc.*) or you may gather flashcards and magazine photos of these food items for ALFONSO to drop into the large pot.
NARRADOR stands to the side to speak and "freezes" as the action takes place.

La sopa de Don Alfonso

NARRADOR: Don Alfonso vive una vida muy cómoda. No trabaja mucho. Le gusta sentarse en su sillón y mirar la televisión. Le gusta comer la comida que prepara su esposa, Concha. Don Alfonso es un hombre muy felíz...

CONCHA: ¡Alfonso! ¡Tu comida está lista!

ALFONSO: ¿Qué es, mi amor?

CONCHA: Tacos de carne, arroz y frijoles.

ALFONSO: ¡Qué rico! Tráemela a la sala, por favor.

CONCHA: Claro, mi amor. *(CONCHA brings him his meal on a TV tray)*

NARRADOR: Hasta que un lunes en la mañana hay una llamada por teléfono...

CONCHA: Sí. ¿Quién habla? *(Listens)* ¡Ay, no! ¿Qué le pasó? *(Listens, horrified)* Sí, sí... voy de inmediato. *(Listens)* Sí. Claro. Adiós. *(CONCHA hangs up, grabs a suitcase, starts stuffing in clothing as she yells)* ¡Alfonso! ¡Tengo que irme de inmediato! ¡Mi hermana, Carla, está en el hospital! Se cayó del techo de su casa y sus brazos están quebrados.

ALFONSO *(Yelling from his easy chair):* ¿Qué voy a comer?

CONCHA *(Yells back):* Hay sopa en el refrigerador. Caliéntala. *(CONCHA exits with her suitcase)*

ALFONSO *(Yells to door):* Está bien.

NARRADOR: Alfonso pasa el día muy contento.

ALFONSO *(Punches remote buttons):* ¿A ver qué hay en el canal 37?

NARRADOR: Pero en la tarde Alfonso tiene hambre y busca la sopa en el refrigerador.

ALFONSO *(Lifts off pot cover and smells soup):* Mmmm, la sopa huele muy rico.

NARRADOR: Esta noche Alfonso come muy bien y está muy contento. *(ALFONSO exits, rubbing his stomach with satisfaction)* El martes Alfonso se levanta con mucha hambre.

ALFONSO *(Enters, plops into his easy chair):* ¡Concha! ¿Qué voy a comer para mi desayuno? *(Waits)* Ay, Concha no está. Bueno, voy a comer más sopa. *(ALFONSO pads to the kitchen, ladles and eats another bowl of soup, waddles back to his easy chair contentedly)*

NARRADOR: Alfonso pasa el día de martes muy bien.

ALFONSO *(Pushing the remote buttons):* Hay tres partidos de fútbol a la misma hora. ¡Voy a verlos todos!

NARRADOR: Pero en la tarde Alfonso tiene hambre y busca la sopa en el refrigerador.

ALFONSO *(With regret):* Ya no hay mucha sopa... ¿Qué hago?

NARRADOR: Luego Alfonso tiene una idea.

ALFONSO: ¡Voy a hacer más sopa! ¿Qué hay en la cocina? *(ALFONSO rummages around and finds various soup items; he names them as he puts them in the big soup pot)* ¡Papas! ¡Zanahorias! ¡Cebolla! ¡Tomates! ¡Maiz! ¡Pollo! Y agua, sal y pimienta, por supuesto. ¡Que sopa deliciosa voy a comer!

NARRADOR: Alfonso hace una sopa muy deliciosa y la come para el desayuno, el almuerzo y para la cena. *(ALFONSO ladles soup into a bowl, and eats happily several times.)* Alfonso está muy contento. *(ALFONSO exits happily)* El miércoles Alfonso se levanta con mucha hambre.

ALFONSO *(Enters, plops into his easy chair):* ¡Concha! ¿Qué voy a comer para mi desayuno? *(Waits)* Ay, Concha todavía no está. Bueno, tengo que hacer más sopa. ¿Qué más hay en la cocina? *(ALFONSO rummages around and finds various items, naming them as he puts them in the big pot)* ¡Ejotes! ¡Apio! ¡Ajo! ¡Chiles! ¡Pescado! Y agua, sal y pimienta, por supuesto. ¡Que sopa deliciosa voy a comer!

NARRADOR: Alfonso hace otra sopa deliciosa y la come para el desayuno, el almuerzo y para la cena. *(ALFONSO ladles soup and eats several helpings contentedly.)* Alfonso está muy contento. *(ALFONSO exits)* El jueves Alfonso se levanta con mucha hambre.

ALFONSO *(Enters, plops into his chair):* ¡Concha! ¿Qué voy a comer para... ay, sí. Concha todavía no está. Bueno, tengo que hacer más sopa.

NARRADOR: Pero ya no hay tantos ingredientes en la cocina para hacer sopa.

ALFONSO *(Finds items and names them as he puts them in the pot):* ¡Fideos! Hot dogs...salsa de tomate... pepinos... leche... galletas... *(Doubtfully)* ¿Que sopa deliciosa voy a comer?

NARRADOR: Alfonso hace una sopa, no muy deliciosa, y la come para el desayuno, el almuerzo y para la cena. *(ALFONSO ladles soup into a bowl, and eats it with a twisted face)* Esta noche Alfonso hace una llamada telefónica.

ALFONSO: ¡Concha, mi amor! ¿Cuándo vas a volver?

CONCHA *(From off-stage):* ¡Pronto, mi amor, pronto!

NARRADOR: El viernes Alfonso se levanta con mucha hambre.

ALFONSO: Concha, todavía no está. *(Sighs)* Tengo que hacer más sopa.

NARRADOR: Ahora hay pocos ingredientes en la cocina para hacer sopa.

ALFONSO *(Finds items and names them as he puts them in the pot):* Queso... avena... calabaza... jugo de naranja... mayonesa... azúcar... *(Sighs)* ¡Que sopa voy a comer!

NARRADOR: Alfonso hace una sopa, ***nada*** deliciosa, y la come para el desayuno, el almuerzo y para la cena. *(ALFONSO ladles soup into a bowl, and eats it almost gagging)* Esta noche Alfonso hace otra llamada telefónica.

ALFONSO: ¡Concha, mi amor! Te extraño mucho. ¿Cuándo vas a volver?

CONCHA *(From off-stage):* ¡Pronto, mi amor, pronto!

NARRADOR: El sábado Alfonso se levanta con mucha hambre.

ALFONSO *(Trudges to the kitchen):* Tengo que hacer más sopa.

NARRADOR: Ahora ya no hay mucho en la cocina para hacer sopa.

ALFONSO *(Finds items and names them as he puts them in the pot):* Cereal... lechuga... palomitas... harina... detergente... una toalla...*(Sobbing)* ¡Que sopa voy a comer!

NARRADOR: Alfonso hace una sopa pero no puede comerla. *(ALFONSO ladles soup into a bowl and looks at it miserably)*

NARRADOR: En ese momento la puerta se abre.*(CONCHA, holding a big bag, enters)*

ALFONSO: ¡Concha, mi amor! ¡Te quiero! ¡Te adoro! *(They embrace each other)*

CONCHA: Alfonso, estoy muy cansada de mi viaje y no quiero cocinar. *(ALFONSO looks stricken; CONCHA opens up her bag)* Por eso tengo la cena aquí... pollo frito, papas fritas, ensalada mixta, compote de manzana y un pastel de chocolate.

NARRADOR: ¡Y juntos, Alfonso y Concha comen una cena muy deliciosa, y los dos están muy contentos!

Act 15: La hora y la rutina
Skit A: Como cuidar a Chícharo

Language Objectives:

Vocabulary: *There are no specific target words. The vocabulary focus is on on telling time and talking about daily activities.*

Cast: 3 Actors
Don GERARDO (the husband)
Doña AMELIA (Don GERARDO's wife)
PATI (their young teenage neighbor)

Duration of performance: approximately 4½ minutes

Optional Props/Sets: a toy animal dog; a bottle of pills; a jar of peanut butter; a blue ball; Don GERARDO and Doña AMELIA may wear beach clothes.

Production Notes: Chícharo may be a toy dog, or may be a student acting the role of a dog (in this case, be prepared for lots of laughter.) The three actors should occasionally interact with Chícharo. Don GERARDO and Doña AMELIA are deadly serious about the meticulous care of their dog, who is like their child. PATI grows increasingly incredulous. Don GERARDO and Doña AMELIA may write out times and key directions on a white board as they instruct PATI.

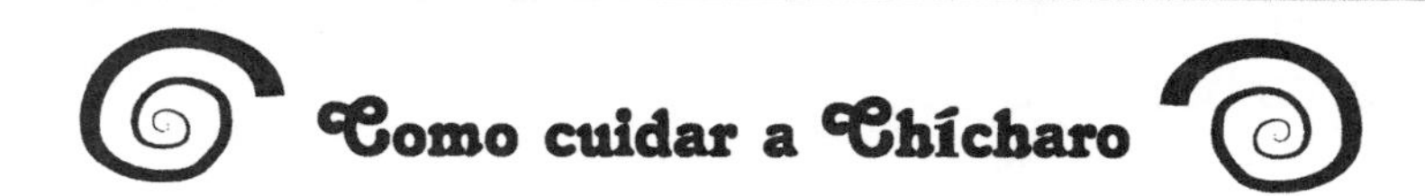

Como cuidar a Chícharo

[Don GERARDO and Doña AMELIA are going out of town for the weekend and ask their teenage neighbor, PATI, to take care of their pup, Chícharo.]

Doña AMELIA: Gracias por cuidar a Chícharo durante este fin de semana, Pati.

PATI: De nada. Me gusta Chícharo.

Don GERARDO: Queremos pagarte veinticinco dólares. ¿Está bien?

PATI: ¡Veinticinco dolares es mucho! Ustedes no necesitan pagarme ***nada***. Chícharo y yo somos amigos. ¿Verdad, Chícharo? *(PATI pets CHÍCHARO)* ¿Qué hago?

Don GERARDO: Bueno, Doña Amelia y yo vamos a salir a las 5:00 de la mañana.

PATI: ¡Es muy temprano!

Don GERARDO: Sí, queremos llegar a la playa antes del mediodía, y está lejos.

Doña AMELIA *(Laughing):* ¡Pero Pati, tú no tienes que venir a la casa a las 5:00!

PATI *(Laughing with relief):* ¡Qué bueno!

Don GERARDO *(Laughing):* A las 5:00, no... *(Suddenly serious)* Pero ven a las 5:30.

PATI *(Dismayed):* ¿A las 5:30?

Don GERARDO: Sí. Chícharo se levanta a las 5:45 de la mañana y va a tener miedo si está solo en la casa.

Doña AMELIA: De las 6:00 hasta las 6:25 llevas a Chícharo a caminar.

PATI: ¿Por qué no hasta las 6:30?

Don GERARDO: Porque a las 6:30 los gatos siempre salen de la casa de los Gutierrez, y Chícharo ladra y los persigue.

Doña AMELIA: Y la familia Gutierrez se enoja mucho... y llaman a la policía.

PATI: Bien, bien, entiendo. A las 6:25 en punto llevo a Chícharo a caminar.

Doña AMELIA: Luego, a las 6:45 preparas el desayuno de Chícharo.

PATI: ¿Dónde está su bolsa de comida?

Doña AMELIA: ¡Ay, no! ¡Chícharo no come comida de perro!

Don GERARDO: Chícharo come con nosotros a las 7:00 en punto.

Doña AMELIA: Prepárale un huevo revuelto, tocino y un plato de cereal con leche.

Don GERARDO: Su cereal favorito es Cheerios™ pero a veces prefiere comer Capitán Crunch™.

PATI: Cheerios o Capitán Crunch... *(Sarcastically)* ¿Con una cuchara?

Doña AMELIA: No, Pati. Chícharo es un ***perro***.

Don GERARDO: Chícharo no tiene dedos. Él come muy rápido. A las 7:10 lava su plato y dale una galleta especial para limpiar sus dientes.

Doña AMELIA: Luego, de las 7:30 hasta las 8:15, tú puedes descansar en la cocina. Puedes leer el periódico.

PATI: ¡Qué bueno!

Doña AMELIA: Sí, a Chícharo le gusta mucho escuchar los artículos de deportes.

Don GERARDO: No entiende todas las palabras. Pero leemos los artículos en voces fuertes con mucha emoción. ¡Le encantan las caricaturas también! Especialmente Peanuts.™

PATI: ¡Ay qué caray!

Don GERARDO: A las 8:20, dale a Chícharo su medicina. Es para sus nervios. Los nervios de Chícharo son muy delicados. No sabemos por qué.

Doña AMELIA: Son dos pastillas. Escóndelas en una cuchara de crema de cacahuate. A Chícharo no le gusta tomar su medicina.

Don GERARDO: Luego toma la pelota azul... azul es el color favorito de Chícharo... y camina al parque—

PATI: ¡Espera, espera! ¿Cuánto van a pagarme por estos dos días?

Don GERARDO: Veinticinco dolares.

PATI: Hmmm... Pues, ¿saben qué? Hay un examen muy importante en la clase de álgebra este lunes, y yo tengo que estudiar todo el fin de semana. ¿Por qué no llevan a Chícharo a la playa con ustedes? ¿A Chícharo no le gusta la playa?

Don GERARDO: ¡O, a Chícharo le encanta la playa!

Doña AMELIA: Pero vamos a quedarnos en la casa de mi hermana y su familia. Y ella dice que no tiene una cama extra para Chícharo.

Don GERARDO: Además dice que si nosotros traemos a Chícharo otra vez, su familia va a quedarse en un hotel.

Doña AMELIA: Parece que a mi hermana no le gustan mucho los perros. ¿Quién sabe por qué?

Act 15: La hora y la rutina

Skit B: Tudi, Toño y Angélica

Language Objectives:

Structures: *Reflexive verbs: Me quito el pijama. Me baño. Me pongo la ropa. Me lavo la cara. Me peino. Me cepillo los dientes. Me levanto.*

Cast: 5 Actors

ANGÉLICA (the friendly, but emotionally erratic sister)
TUDI (the geeky identical twin brother)
TOÑO (the "cool" twin brother)
MAMÁ (who is exhausted with ANGÉLICA's tattling and tantrums)
MAESTRA (who is also exhausted with ANGÉLICA's tattling and tantrums)

Duration of performance: approximately 6½ minutes

Optional Props/Sets: TUDI and TOÑO need sleeping bags, ANGÉLICA needs a toothbrush, gum, pencils, two dollars

Production Notes: ANGÉLICA's role is challenging, not only because it is substantial, but also because her character constantly changes from narrating to the audience in a mature, conversational manner to interacting with her brothers and her mother in a whiny, hysterical manner. ANGÉLICA must have a loud and expressive voice. TUDI and TOÑO also speak directly to the audience at times, which should be evident from the script. TUDI and TOÑO must exhibit VERY different personalities. TUDI is conservative, studious and geeky. TOÑO is charismatic and is a combination of a "ladies' man" and a "bad boy." You may lengthen this skit in countless ways, for example: 1) add roles for the three siblings' friends and for a clerk in the store where they buy the gum and pencils, 2) add more activities and friction during the course of the day.
The plot of this skit roughly follows the vocabulary and structures of the song *"Tic Toc"* from the CD and songbook, **Music That Teaches Spanish!**

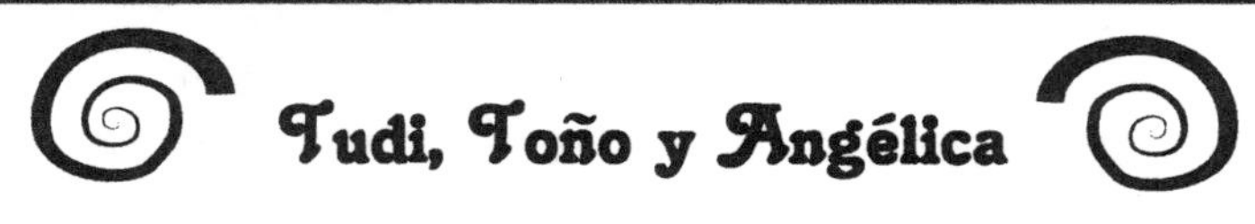

Tudi, Toño y Angélica

[ANGÉLICA is going to tell us all about her twin brothers, TUDI and TOÑO.]

ANGÉLICA *(To the audience):* Buenos días. Mi nombre es Angélica y estos son mis hermanos. Son gemelos. Uno se llama Tudi y el otro se llama Toño.

TUDI: Hola. Yo soy Tudi. *(TUDI waves to the audience.)*

TOÑO: Soy Toño. *(TOÑO winks at and acknowledges the audience)*

ANGÉLICA: Ustedes ven que son gemelos idénticos, ¿verdad? ¿Cómo los distingüo? ¡Es fácil! Sus personalidades son muy distintas. Mira, yo les enseño.

[TUDI and TOÑO lie down in their sleeping bag beds and go to sleep.]

ANGÉLICA: Es miércoles. Son las 7:00 de la mañana. Mamá dice—

MAMÁ *(Calling):* ¡Angélica! ¡Tudi! ¡Toño! ¡Son las 7:00! ¡Levántense!

ANGÉLICA: Yo me levanto de inmediato. A las 7:03 me quito el pijama y me baño. Luego me pongo la ropa para la escuela. Me lavo la cara, me peino y me cepillo los dientes. *(She walks into the "bathroom" and speaks as she brushes her teeth)* Tudi también se levanta rápido.

TUDI *(Jumps up):* ¡Qué bueno! Es miércoles. Me gusta ir a la escuela. *(Puts on watch and looks at it)* ¡Ay caray, ya son las 7:05! *(He pounds on the bathroom door)* ¡Angélica! ¡Salte del baño! ¡Quiero bañarme!

ANGÉLICA: ¡No! ¡Espérate, Tudi! Déjame en paz. ¡Mamá! *(Whines)* ¡Tudi me molesta cuando estoy en el baño! *(TUDI pounds at the bathroom door as she speaks to the audience again.)* Ahora son las 7:15. Toño no se levanta todavía. Mamá dice—

MAMÁ: ¡Toño! ¡Levántate en este instante o te voy a echar un vaso de agua! ¡Tudi, no pegues a la puerta y Angélica, no seas chismosa!

TOÑO *(Sleepily and angrily):* Sí, sí, sí, sí, sí. Odio ir a la escuela.

ANGÉLICA: A las 7:40 Toño ***finalmente*** viene a la cocina para comer el desayuno.

TOÑO *(As he dresses like a slob, he speaks grumpily and defiantly to audience):* Me pongo la ropa pero ***no*** me baño, ***no*** me lavo la cara y ***no*** me cepillo los dientes.

ANGÉLICA *(Holds her nose):* Toño, tú apestas.

TOÑO: Cállate.

ANGÉLICA: A las 8:00 vamos a la escuela. Tudi huele a perfume y Toño huele como un monstruo del pantano. Tudi y Toño son mis hermanos y *(She links arms with them and they walk to school)* tienen personalidades muy distintas. Son diferentes en la escuela también.

ANGÉLICA *(continued):* De las 9:45 hasta las 10:45 yo estudio en la clase de historia. Pero Tudi y Toño están en la clase de matemáticas. La maestra dice—

MAESTRA: Tudi, ¿cuánto es cuatro por nueve?

TUDI: Me gusta la clase de matemáticas y estudio mucho. Cuatro por nueve son treintaiseis.

MAESTRA: ¡Excelente, Tudi! Toño, ¿cuánto es ocho por siete?

TOÑO: No tengo mi libro de matemáticas. ¿Puedo ir al baño?

ANGÉLICA: Sí, a Tudi le gustan mucho todas las clases.

TUDI: A las 11:00 leo en la clase de literatura. A las 11:30 escribo papeles en la clase de inglés. Al mediodía como el almuerzo con mis amigos, a la 1:00 de la tarde estudio las ciencias y a las 2:00 corro en el gimnasio. Mis calificaciones son mejores que las de Angélica.

ANGÉLICA *(Gets angry immediately and shrieks):* ¡No es verdad! Mis calificaciones son perfectas. ¡Mamá, Tudi dice que sus calificaciones son mejores que la mías!

MAESTRA: Angélica, cálmate, por favor. Y tu mamá no está aquí.

ANGÉLICA *(Sulkily):* Toño... habla de tu día en la escuela.

TOÑO: Bueno, a las 11:00 pongo una rana en el sándwich de Rebeca Lara y luego la maestra me manda al director. Paso el resto del día en su oficina. ¡Pero a las 3:00 voy a casa!

ANGÉLICA: Son las 3:00 y mis hermanos y yo vamos a casa. *(The three link arms and walk toward home)* Pasamos a las tiendas...

TOÑO: Espérense aquí. Tengo un dolar. Quiero comprar chicle. *(He goes into the store, buys a dollar's worth of gum and stuffs it all into his mouth.)*

TUDI: Yo tengo un dolar también. Voy a comprar lápices nuevos para hacer mi tarea.

ANGELICA: ¿Por qué es que tú tienes un dolar y yo no?

TUDI *(Taunting):* Papá me dió un dolar y a tí no te dió nada. Papá me quiere más a mí.

ANGÉLICA *(Crying):* ¡Mamá, Tudi dice que papá lo quiere más a él que a mí!

TUDI *(Taunting under his breath):* Llorona.

ANGÉLICA *(Sulkily):* Llegamos a la casa a las 4:00, pero ya no voy a continuar con este relato porque ***odio*** a mis hermanos. Tudi se cree el rey del universo y Toño es un cochino feo.

TUDI *(To audience):* No es nada bonito vivir con mi hermana ANGÉLICA tampoco. *(Looks at his brother)* Toño sí es sucio, pero eso no me molesta.

TOÑO: Y Tudi es muy estudioso pero eso no me molesta... Pero Angélica... ¡Caramba!

ANGÉLICA: ¡Mamá! Tudi y Toño hablan mal de mí y no quieren entrar en la casa.

MAMÁ: ¡Tudi! ¡Toño! Son las 6:30. ¡Vamos a cenar! Y Angélica, ya no seas tan chismosa. Mi hija, me das un dolor de cabeza terrible. ¿Por qué no puedes portarte como tus hermanos? ¡Caramba!

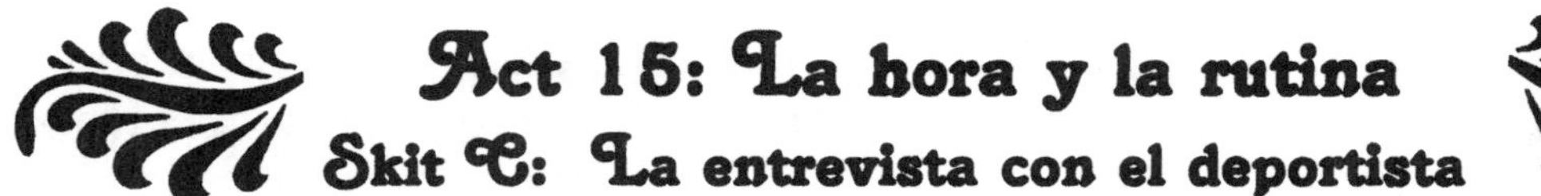

Act 15: La hora y la rutina

Skit C: La entrevista con el deportista

Language Objectives:

Vocabulary: *The target vocabulary focuses on a review of telling time and talking about daily activities.*

Additional vocabulary: *el deportista, los fanáticos deportivos, el huésped, el conductor, el partido de fútbol, el reloj despertador, el alarma, el entrenador, la tienda de reparación de relojes*

Cast: 5 Actors

GERÓNIMO (the host of the popular TV show, "¡A conocer a un deportista!")
CISCO RIVERA (a very famous football star)
RAFAEL, PEDRO, CATALINA (football fans)

Duration of performance: approximately 6 minutes

Optional Props/Sets: two tall stools for GERÓNIMO and CISCO; CISCO needs to wear a fancy watch, GERÓNIMO should have a small gift box in his pocket; RAFAEL, PEDRO and CATALINA need to sit in chairs.

Production Notes: RAFAEL, PEDRO and CATALINA always stand when asking a question and then sit down after CISCO answers it.

If you wish, GERÓNIMO may wear a suit and CISCO may wear a football uniform.

Extend this skit by adding more sports fans with questions about Cisco's day.

If your students like this skit, they will also enjoy the mini-play, *"Cocinamos hoy con Carlos y Carmelina"* from the book, **Mighty Mini-Plays for the Spanish Classroom**. The play features the co-hosts and studio audience of a TV cooking show.

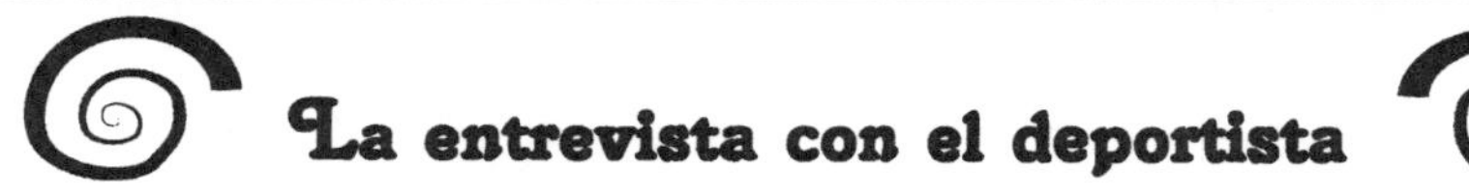

La entrevista con el deportista

[It's time for the popular TV show, "¡A conocer a un deportista!" hosted by GERÓNIMO GONZALEZ. The studio audience is invited to ask questions to get to know the most famous football player of our time, the one-and-only CISCO RIVERA!]

GERÓNIMO: ¡Buenas tardes, fanáticos deportivos! Bienvenidos a nuestro programa, "***¡A conocer a un deportista!***" Soy Gerónimo Gonzalez, su conductor. Hoy tenemos mucha suerte. Nuestro huésped es muy famoso. No necesita ninguna introducción. Es el jugador de fútbol más conocido del mundo... ¡Cisco Rivera! *(CISCO enters, waving at audience, sits down)*

[RAFAEL, PEDRO, CATALINA all applaud, whistle, hoot with excitement]

GERÓNIMO: ¡Hola, Cisco! Gracias por visitarnos hoy en "***¡A conocer a un deportista!***" ¿Cómo estás?

CISCO *(Displays wrist with watch):* Tengo un reloj nuevo.

GERÓNIMO: ¡Qué bueno! *(To audience)* Podremos ver a Cisco Rivera en acción a las 6:00 esta tarde hoy . Su equipo, Los Diablos de Tasmania van a jugar contra los Avispones, ¿verdad, Cisco?

CISCO: Sí. Es verdad. *(Looks at his watch)* Mi reloj nuevo dice que ahora es la 1:00. *(Looks at watch again)* No... es la 1:04 con veintiocho segundos.

GERÓNIMO: Sí, es temprano... Tenemos toda la tarde. Vamos a ver cuáles preguntas tiene nuestro público...

CISCO: Pues, no tenemos toda la tarde, porque *(Looks at watch)* es casi la 1:05 y yo tengo que estar en el campo con mi equipo para practicar a las 3:30. En *(Thinks hard)* dos horas y... veinticinco minutos más. *(Shines his new watch on his shirt)*

GERÓNIMO *(Becoming non-plussed):* Bien. ¿Quién tiene una pregunta para Cisco?

RAFAEL *(Stands up):* ¿Cisco, cómo te preparas para un juego de fútbol?

CISCO: Pues, voy a dormir temprano... entre las 9:00 y las 9:30 de la noche. Luego, me levanto a las 6:30 de la mañana. Uso un reloj despertador, pero *(Shows his watch)* mi reloj nuevo tiene una alarma. ¿Quieres escucharlo?

RAFAEL: No, gracias.

PEDRO *(Stands up):* ¿Qué más haces para prepararte para un juego de fútbol?

CISCO: Pues, a las 7:30 como un buen desayuno... huevos revueltos, pan francés, jugo de naranja, jamón... Hay un reloj grande en mi cocina, pero *(Shows watch)* este reloj es mucho más bonito. Las manos del reloj tienen diamantes pequeños que lucen. ¿Ves? *(CISCO holds the watch up for the audience to see)*

CATARINA *(Stands up):* ¿Haces ejercicios?

CISCO: Sí. Hago ejercicios en el gimnasio por tres horas cada mañana. Usualmente de las 9:00 hasta el mediodía. Descanso para tomar una bebida de frutas y vitaminas de las 10:30 hasta las 10:45. *(Shows his watch again)* Este reloj nuevo es un regalo de mi entrenador.

CATARINA: ¿Cuáles ejercicios haces?

CISCO: Pues, me quito mi reloj cuando hago ejercicios.

CATARINA *(Confused):* O... gracias.

RAFAEL: ¿A qué hora comes el almuerzo?

CISCO: ¡Me gusta esta pregunta! Como el almuerzo a las 12:30 en punto.

PEDRO: ¿Qué haces para descansar y divertirte?

CISCO: Pues, voy al cine. ¡Mi reloj nuevo tiene una luz! *(Shows his watch again)* Hay un pequeño botón — ¿lo ves? — ¡Oprimo el botón y puedo ver la hora adentro del teatro oscuro!

CATALINA: ¿Hay una persona especial en tu vida?

CISCO: Mi entrenador.

CATALINA: ¿No tienes novia?

CISCO: Ahora no. Antes sí. Ella me dio un reloj también y me gustaba mucho, pero se quebró... el reloj, no mi novia. Yo tenía el reloj puesto durante un partido de fútbol y se quebró, y después la hora siempre decía las 2:48, así que lo tiré a la basura. *(Sighs sadly)* Extraño a ese reloj.

GERÓNIMO: Solamente tenemos tres minutos más en nuestro programa, ***"¡A conocer a un deportista!"*** Yo tengo una pregunta para tí, Cisco. Sabemos que vas a jugar al fútbol por muchos años, pero ¿qué quieres hacer después? ¿Cuáles son tus planes?

CISCO: ¡Ay, eso es fácil! ¡Pienso trabajar en una tienda de reparación de relojes.

GERÓNIMO: Pues, esto no es una sorpresa, Cisco. *(To the audience)* Vamos a darle un fuerte aplauso a Cisco Rivera. Gracias por pasar la tarde con nosotros. Cisco, tenemos un pequeño regalo para tí... *(GERÓNIMO hands CISCO a small box)*

CISCO *(Opens it, jumps and screams with excitement, hugs GERÓNIMO, lifts him off the floor and runs out with him over his shoulder as the audience applauds wildly):* ¡Es un reloj! ¡Es un reloj! ¡Tengo una colección de relojes! ¡Es un reloj! *(CISCO's voice fades out as he exits)*

a veces	*sometimes*
A ver...	*Let's see...*
abrigo, el	coat
abril	April
abrir	to open
abuelita	Grandmother
abuelo, el	grandfather
abuelos, los	grandparents
aburrido(a)	bored
acá	here
acento, el	accent
además	besides
adentro	inside
¡Adiós!	*Goodbye!*
admiramos	(we) admire
África	Africa
afuera	outside
agente, el	agent, police officer
agosto	August
agua, el	water
aguacate, el	avocado
aguantan	(they/you pl.) tolerate
ahora mismo	*right now*
ahora	now
¡Ajá!	*Aha!*
ajo, el	garlic
al lado	*next door*
al lado de	*next to*
alarma, el	alarm
alas, las	wings
albóndigas, las	meatballs
alcanzar	to reach
alegría, la	happiness
alérgico(a)	allergic
alfombra, la	rug, carpet
álgebra, la	algebra
allí	over there
almuerzo, el	lunch
alrededor	around
alto(a)	high
alumno(a)	student
amable	kind
amarillo(a)	yellow
amigo, el/la	friend
amor, el	love
anaranjado(a)	orange
animalito, el	little animal
antes	before

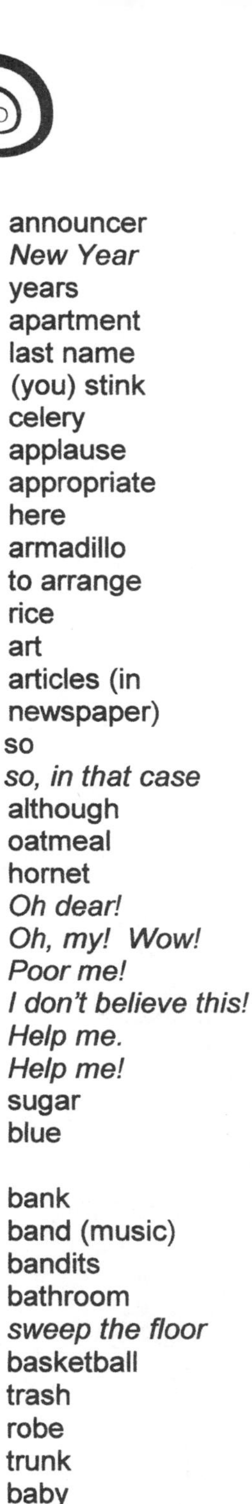

anunciador, el	announcer
Año Nuevo, el	*New Year*
años, los	years
apartamento, el	apartment
apellido, el	last name
apestas	(you) stink
apio, el	celery
aplauso, el	applause
apropiado(a)	appropriate
aquí	here
armadillo, el	armadillo
arreglar	to arrange
arroz, el	rice
arte, el	art
artículos, los	articles (in newspaper)
así	so
así que	*so, in that case*
aunque	although
avena, la	oatmeal
avispón, el	hornet
¡Ay!	*Oh dear!*
¡Ay, caray!	*Oh, my! Wow!*
¡Ay de mí!	*Poor me!*
¡Ay, qué caray!)	*I don't believe this!*
Ayúdame.	*Help me.*
¡Ayúdenme!	*Help me!*
azúcar, el	sugar
azul	blue
B	
banco, el	bank
banda, la	band (music)
bandidos, los	bandits
baño, el	bathroom
barrer el piso	*sweep the floor*
basquetbol, el	basketball
basura, la	trash
bata, la	robe
baúl, el	trunk
bebé, el/la	baby
bebida, la	drink (noun)
béisbol, el	baseball
biblioteca, la	library
bicicleta, la	bicycle
bien	fine, well
Bienvenido.	*Welcome.*
bistek, el	steak
blanco(a)	white
blusa, la	blouse
boca, la	mouth
bolígrafo, el	pen

bolsa, la	purse
bonito(a)	pretty
bosque, el	forest
botella, la	bottle
botón, el	button
¡Bravo!	*Hurray!*
brazo, el	arm
breve	short
brillar	to shine
broma, la	joke
¡Buen provecho!	*Good appetite!*
¡Buena suerte!	*Good luck!*
Buenas tardes.	*Good afternoon/ evening.*
Bueno...	*Well...*
bueno(a)	good
Buenos días.	*Good morning.*
bufanda, la	scarf
burro, el	donkey
buscar	to search for
C	
caballo, el	horse
cabello, el	hair
cabeza, la	head
cada	each, every
cadena, la	chain
café	brown, coffee
caja, la	box
calabazas, las	pumpkins
calcetines, los	socks
calculadora, la	calculator
calendario, el	calendar
calidad, la	quality
calientar	to heat up
calientes	hot
calificación, la	grade (A, B C...)
Cállate.	*Be quiet. Shut up.*
calle, la	street
Cálmate./ Cálmese.	*Calm down.*
calvo(a)	bald
calzones, los	underwear
cama, la	bed
cámara, al	camera
camarones, los	shrimp (pl.)
cambiar	to change
cambiar la ropa de cama	*change the bedsheets*
camello, el	camel
caminar	to walk
caminata, la	walk, hike (nouns)

camioneta, la	van
camisa, la	shirt
campo, el	countryside, field
canal, el	channel
canasta, la	basket
canela, la	cinnamon
cansado(a)	tired
cantar	to sing
canto	singing
cara, la	face
¡Caramba!	*For goodness sake! Wow!*
cardenales, los	Cardinals
caricaturas, las	cartoons
carne, la	meat
carpeta, la	folder
carta, la	letter
cartel de drogas, el	drug cartel
casa, la	house
casarse	to marry
cáscara, la	peel, shell (of a fruit)
caserola, la	big bowl or casserole dish
casi	almost
castañetear	to snap one's fingers
castillo, el	castle
catorce	fourteen
cebolla, la	onion
celebrar	to celebrate
cenar	to eat dinner
centro, el	downtown
cerca de	near to
cerezas, las	cherries
cerrar	to close
champiñones	mushrooms
chancletas, las	slippers
chaqueta, la	jacket
chícharo, el	pea
chicle, el	gum
chiles, los	chili peppers
chiquito(a)	little
chismoso(a)	tattle-tale, gossiper
chocolate, el	chocolate
chulo(a)	cute
cielo, el	sky, heaven
ciencias, las	science
cinco	five
cine, el	movies
circo, el	circus
círculo, el	circle

cita, la	appointment
ciudad, la	city
clarinete, el	clarinet
claro (¡Claro qué sí!)	*Sure! Of course!*
claro(a)	clear
clase, la	class, classroom
coche, el	car
cochino, el	pig
cocina, la	kitchen
cocinar	to cook
coco, el	coconut
cocodrilo, el	crocodile
cola, la	tail
coliflor, el	cauliflower
collar, el	collar
colonia, la	neighborhood
colores, los	colors, crayons
comedor, el	dining room
comemos	(we) eat
comer	to eat
cometa, la	frisbee
comezón, el	itch
cómico(a)	comical, funny
comida, la	food, meal
¿Cómo está usted?	*How are you? (formal)*
¿Cómo estás (tú)?	*How are you?*
¿Cómo se escribe?	*How is it spelled?*
¿Cómo te llamas?	*What is your name?*
cómodo(a)	comfortable
compartir	to share
completamente	completely
compote de manzana, el	applesauce
comprar	to buy
computadora, la	computer
común *(en común)*	common *(in common)*
con	with
concentrar	to concentrate
condición, la	condition
conductor, el/la	host/hostess
conmigo	with me
conocer	to meet, to know (a person)
conocido(a)	known
conozco	(I) know (a person)
contar	to count
contento(a)	happy
corazón, el	heart
coro, el	choir
corona, la	crown
Córtala(lo).	*Cut it.*
cortinas, las	curtains
corto(a)	short
cosa, la	thing
crema de cacajuate, la	peanut butter
crema, la	cream
creo (from verb "creer")	to believe (I believe)
criada, la	maid, servant
Cristóbal Colón	Christopher Columbus
cuaderno, el	notebook
cualquier(a)	whatever, whichever
¿Cuánto?(a)	How much?
¿Cuántos(as)	*How many?*
¿Cuánto cuesta(n)?	*How much does it (do they) cost?*
¿Cuántos años tiene?	*How old is he/she?*
cuarenta	forty
cuarto, el	room
cuatro	four
cubrir	to cover
cucarachas, las	cochroaches
cuchara, la	spoon
cuello, el	neck
cuerpo, el	body
Cuestan___.	*They cost ___.*
cueva, la	cave
¡Cuidado!	*Careful!*
cuidar	to take care of

D

Dame ___	*Give me ___.*
de inmediato	*immediately*
de todos modos	*anyway*
de	of, from
debajo de	under
decidir	to decide
decir	to tell
decisión, la	decision
dedos, los	fingers, toes
Déjame en paz.	*Leave me in peace.*
deletrean	(they) spell
delicado(a)	delicate
delicioso(a)	delicious
demasiado(a)	too much, too many
demostración, la	demonstration
denso(a)	dense
dentro de	inside of
deportes, los	sports
deportista, el/la	athlete

derecho(a)	right (the direction)
desayuno, el	breakfast
descansa	(he/she/it) rests
Describe ___	*Describe ___.*
descripción, la	description
descubrir	to discover
desde	from
desear	to wish
deseas (from verb *"desear"*)	to wish (you wish)
deseo, el	wish (noun)
desesperarse	to be desperate, to despair
desierto, el	desert
despertarse	to wake up
después	after
detergente, el	detergent
detrás de	behind
día, el	day
diablo, el	devil
diccionario, el	dictionary
diciembre	December
diecinueve	nineteen
dieciocho	eighteen
dieciseis	sixteen
diecisiete	seventeen
dientes, los	teeth
diez	ten
difícil	difficult
dinero, el	money
dinosaurios, los	dinosaurs
dirección, la	address
direcciones, las	directions, addresses
Discúlpame (Discúlpenme)	*Excuse me (sing. & pl.)*
distingüo	(I) distinguish
distinto(a)	different
divertido(a)	fun
divertirse	to have fun
divino(a)	divine
doce	twelve
dolar, el	dollar
dolor de estómago, el	stomachache
domingo, el	Sunday
dormido(a)	asleep
dormir	to sleep
dormitorio, el	bedroom
dos	two
dulce	sweet
durante	during
durazno, el	peach
duro(a)	hard

E

echar	to throw
ejercicos, los	exercises
ejotes, los	green beans
El placer es mío.	*The pleasure is mine.*
elefante, el	elephant
elegante	elegant
emergencia, la	emergency
empacar	to pack
empezar	to begin
empiezan	(they/you pl.) begin
empleo, el	employment
en órden alfabético	*in alphabetical order*
en punto	*on the dot*
en realidad	*actually*
enanito, el	little dwarf
encontrar	to find
enero	January
enfermo(a)	ill
enojado(a)	angry
enorme	enormous
ensalada mixta	tossed salad
ensalada de frutas, las	fruit salad
ensalada, la	salad
enseñar	to teach, to show
entender	to understand
entiende	(he/she) understands
entiendo	(I) understand
entonces	then, in that case
entrar	come in, enter
entrenador, el	trainer
epidémico, el	epidemic
episodio, el	episode
equipo, el	team
eres (from verb *"ser"*)	to be (you are)
es (from verb *"ser"*)	to be (he/she/it is)
Escoge...	*Choose...*
escoger	to choose
escondido(a)	hidden
escribir	to write
escuela, la	school
escultura, la	sculpture
esencia, la	essence
espacio, el	space
España	Spain

español	Spanish
especial	special
especialmente	especially
especificamente	specifically
espectáculoso(a)	spectacular
espejo, el	mirror
esperar	to wait, to hope
¡Espérenme!	*Wait for me!*
esposo(a)	husband, wife
Está nevando.	*It's snowing.*
Está lloviendo.	*It's raining.*
Está nublado.	*It's cloudy.*
estado, el	state
Estados Unidos, los	the United States
estante de libros, el	book shelf
estar de vacaciones	to be on vacation
estar	to be (temporary)
esto	this
estómago, el	stomach
estornudar	to sneeze
¿Están listos?	*Are you ready?*
Estoy muy mal.	*I'm feeling poorly.*
Estoy listo(a).	*I'm ready.*
estudiante, el/la	student
estudiar	to study
estudioso(a)	studious
estupendo.	Stupendous
examen, el	exam
excelente	excellent
exótico(a)	exotic
experimento, el	experiment
explorador, el	explorer
expresar	to express
exquisito(a)	exquisite
extraño a...	*I miss...*
extraño(a)	odd, strange

F

fácil	easy
fajitas, las	grilled beef skirt steak
falda, la	skirt
familia, la	family
famoso(a)	famous
fanáticos deportivos, los	sports fans
fantasía, la	fantasy
favorito(a)	favorite
febrero	February
felicitar	to congratulate
feliz	happy
feo(a)	ugly
festivo(a)	festive
fideos, los	noodles
fin de semana, el	weekend
finalmente	finally
flores, las	flowers
foto, la	photo
fragancia, la	fragrance
frente	in front of
frente a	in front of
fresas, las	strawberries
fresco(a)	refreshing
frijol negro	black bean
frito(a)	fried
fuerte	strong
fuerza, la	force
fútbol, el	football, soccer

G

gabinete, el	cabinet
galletas, las	cookies
gallo, el	rooster
gancho, el	hook, hanger
garganta, la	throat
garras, las	claws
gatita, la	kitten (female)
gato, el	cat
gemelos, los	twins
generoso(a)	generous
genio, el	genie
gente, la	people
geografía, la	geography
gigante	giant
gimnasio, el	gymnasium, PE
globo, el	globe, balloon, bubble
gordo(a)	fat
gozar	to enjoy
Gracias.	Thank you.
grande	big
gris	gray
grite (as in "No grite.")	*Don't yell.*
grito, el	cry, shout (noun)
grueso(a)	bulky, heavy
grupo, el	group
guantes, los	gloves
guapo(a)	handsome, beautiful

H

habla (from verb *"hablar"*)	to speak, talk
hablador	talking
hablan	(they/you pl.) speak
hablar	to speak, talk
Hace sol.	*It's sunny.*

Hace buen tiempo.	*It's nice weather.*
Hace mal tiempo.	*It's stormy.*
Hace frío.	*It's cold.*
Hace calor.	*It's warm.*
Hace viento.	*It's windy.*
hacienda, la	mansion
hambre, el	hunger
hamburguesa, la	hamburger
harina, la	flour
hasta	until
Hasta pronto.	*See you soon.*
Hasta luego.	*See you later.*
hay	there is, there are
Hecho en China	*Made in China*
helado	frozen
hermana, la	sister
hermano, el	brother
hermoso(a)	beautiful
hielo, el	ice
hierbabuena, la	mint (herb)
hija, la	daughter
hijo, el	son
hipnotizador, el	hypnotist
historia, la	history
hojas, las	leaves, pages
Hola.	Hello.
hombre, el	man
hora, la	hour, time
horno, el	oven
hospital, el	hospital
hoy	today
huele (from verb *"oler"*)	smells (as in "it smells..."
Huélelo(la).	*Smell it.*
huésped, el/la	guest
huevos, los	eggs
huevos revueltos, los	scrambled eggs
humano, el	human
húmedo	humid
huracánes, los	hurricanes
I	
idea, la	idea
idénticos(as)	identical
iglesia, la	church
impaciente	impatient
importante	important
imposible	impossible
impresionante	impressive
infección, la	infection
información, la	information
ingredientes, los	ingredients
instante, el	instant
insultar	to insult
inteligente	smart, intelligent
interesante	interesting
introducción, la	introduction
invierno, el	winter
invitó (from verb *"invitar"*)	to invite (he/she invited..)
izquierda, la	left (the direction)
J	
jamón, el	ham
Japón	Japan
jardín, el	garden
jasmín, el	jasmine
jefe, el (o la jefa)	leader, boss
jóvenes, los	youth, young men)
juegan (from verb *"jugar"*)	to play (they play/are playing)
jueves, el	Thursday
jugador(a), el/la	player
jugar	to play (a game or sport)
jugoso(a)	juicy
julio	July
junio	June
junta, la	meeting
junto(a)	together
K	
koala, la	koala
L	
laca, la	hairspray
ladra (from verb *"ladrar"*)	to bark
lámpara, la	lamp
lápiz, el	pencil
largo(a)	long
lástima, la	shame, pity
lata, la	can (of food etc.)
Lava el(la)___	*Wash the ___*
lavar la ropa	wash clothes
leche, la	milk
lechuga, la	lettuce
leer	to read
lejos	far, far way
levantar	to lift
levantarse	to get up
Levántate.	*Get up.*
libro, el	book
líder, el/la	leader
limón, el	lemon
limpio(a)	clean

lista, la	list (noun)
listo(a) i.e. ser listo	clever
literatura, la	literature
llamada por teléfono, la	phone call
llamar	to call
llantas, las	tires (for a bicycle or vehicle)
lleno de	full of
lleno(a)	full
Lleva ___.	*Carry ___.*
lloron(a)	crybaby
lo que quieras	*whatever you want*
Lo siento mucho.	*I'm so sorry.*
lobo, el	wolf
loción, la	lotion
loco(a)	crazy
loro, el	parrot
luchador, el	fighter, fighting
luego	then
lugares, los	places
lunes, el	Monday
luz, la	light (from sun or lamp)

M

maceta de cristal, la	crystal vase
macho(a)	masculine
maestra, el/la	teacher
magnífico(a)	magnificent
mago, el	magician
maiz, el	corn
maleta, la	suitcase
malo(a)	bad
Mamá	Mom
mandado, el	groceries
mandar	to send
mango, el	mango (fruit)
mano, la	hand
mantequilla, la	butter
manzana, la	apple
mañana	tomorrow
mañana, la	morning
mapa, el	map
máquina, la	machine
maravilloso(a)	marvelous
marca, la	brand (of clothing)
marchar	to march
mariposas, las	butterflies
martes, el	Tuesday
marzo	March
más	more
Más o menos.	*More or less, Okay*
mascota, la	school mascot
matemáticas, las	math
mayo	May
mayonesa, la	mayonnaise
mayor	older, eldest
me cepillo los dientes	*I brush my teeth*
me gusta(n)...	*I like...*
me acuerdo	(I) remember
me peino	*I comb my hair*
me lavo la cara	*I wash my face*
me gustaba	I liked it
me quito el pijama	*I take off my pajamas*
me baño	*I bathe*
me pongo la ropa	*I put on my clothes*
Me llamo____.	*My name is ____.*
Me encanta ___	*I like ___*
Me voy.	*I'm going.*
Me duele ___	*My ____ hurts.*
medicina, la	medicine
médico, el	doctor (male)
mediodía, el	midday, noon
mejor	better
melón, el	canteloupe
mercado, el	market
mermelada, la	marmelade
mes, el	month
mesa, la	table
mesero, el	waiter
meter	to put in
mezclas (from verb *"mezclar"*)	to mix
mi/mis	my
miembro, el	member
miércoles, el	Wednesday
migajas, las	crumbs
mil, el	thousand
minutos, los	minute
mío(a)	mine
mira (from verb *"mirar"*)	to look
¡Mira!	*Look!*
Miren a(l) ___.	*Look at ___*
mismo(a)	same
misterioso(a)	mysterious
mochila, la	backpack
molesta (from verb *"molestar"*)	to bother
momento, el	moment
monos, los	monkeys
monstruo, el	monster
montañas, las	mountains
morado(a)	purple

mordida, la	bite (noun)
morenitas, las	brownies
mosquitos, los	mosquitos
mostrar	to show
Mucho gusto en conocerte.	*Nice to meet you.*
mucho(a)	many
mudar	to shed hair
muerto(a)	dead
Muéstra ___	*Show ____*
mundo, el	world
musculoso(a)	muscular
música, la	music
muy	very
Muy bien.	*Very well, I'm fine.*
N	
nacional	national
nada	nothing
nadie	noone
naranja, la	orange (the fruit)
nariz, la	nose
neblina, la	fog, mist
necesitar	to need
necesito	(I) need
negro(a)	black
nervios, los	nerves
ni	neither, nor
Ni modo.	*Oh well...* *Never mind.*
niebla, la	fog, mist
nieve, la	snow
ningún/ninguna	no, not any
niña, la	little girl, child
niñas, las	little girl children
niño, el	little boy, child
niños exploradores, los	boy scouts
niños, los	children, little boys
no importa	it doesn't matter
¡No es justo!	*It's not fair!*
No estás bien.	*You're not fine.*
No me importa.	*It doesn't matter.*
No me interesa ___	*It doesn't interest me.*
No pegues a la puerta	*Don't hit the door.*
No sé.	*I don't know.*
¡No seas burro!	*Don't be foolish!*
No seas tímido.	*Don't be shy.*
¡No sirven para nada!	*They're useless.*
No te acuestes en	*Don't lie down on*
No te desesperes.	*Don't despair.*
noche, la	night
Nochebuena, la	Christmas Eve
nombre, el	name
nos	us
noticias, las	news
noviembre	November
novio(a)	sweetheart, fiancé
nueces, la	nuts, walnut
nuestro(a)	our
nueve	nine
Nuevo México	New Mexico
nuevo(a)	new
número, el	number
nunca	never
O	
ochenta	eighty
ocho	eight
octubre	October
ocupado(a)	busy
odio (from verb *"odiar"*)	to hate (I hate)
oficina, la	office
¡Oiga! (From verb "oir")	*hear (Listen!)*
ojos, los	eyes
once	eleven
opinion, el	opinion
oprimir	to press
oprimo (from verb *"oprimir"*)	to press (I press)
ordenar	to place an order
orejas, las	ears
organizar	to organize
oscuro(a)	dark
otoño, el	autumn
otra vez	again
otro(a)	another, other
Oye.	*Hey, listen.*
P	
pacientes, los/las	patients
pagar	to pay
paja, la	straw
pájaros, los	birds
palabras, las	words
palomitas, las	popcorn
pan dulce, el	sweet bread
pan tostado, el	toast
pan, el	bread
pantalones, los	pants
pantano, el	swamp
panteras, las	panthers
papitas, las	potato chips
Papá	Dad
papagayo, el	parrot
papas fritas, las	french fries

papas, las	potatoes
papel, el	paper
papitas, las	potato chips
paquete, el	package
par/pares	pair/pairs
para	for
Párate.	*Stand up.*
parece	seems
parece que	*it seems that*
pares, los	pairs
parque, el	park
partido, el	game
Pásame ___.	*Pass me the ___.*
pasas, las	raisins
pastel, el	pie
pastillas, las	pills
patio, el	patio, back yard
patriotas, los	patriots
patrocinador, el	sponsor
pavo, el	turkey
payaso, el	clown (male)
peces, los	fish (pl.)
pedir	to request
pelo, el	hair
pelota, la	ball
peor	worse
pepinos, los	pickles, cucumbers
pera, la	pear
perdido(a)	lost
perezoso(a)	lazy
perfecto(a)	perfect
periódico, el	newspaper
perlas, las	pearls
pero	but
perro, el	dog
persigue	(he/she/it) chases
persona, la	person
personal	personal
personalidad, la	personality
personificar	personify
pesado(a)	heavy
pescado	fish (cooked)
pétalos, los	petals
piano, el	piano
pico de gallo, el	salad of chiles, tomatoes
pico, el	beak (of a bird)
picoso(a)	spicy
pie, el	foot
Piensa en...	*Think about...*
pierna, la	leg

pies, los	feet
pijama, el or la	pajamas
pimienta, la	black pepper
pinos, los	pine trees
piña, la	pineapple
pisar	to step on
piscina, la	swimming pool
pizarra, la	white or black board
plantas, las	plants
plátano, el	banana
pluma, la	pen
podemos (from verb *"poder"*)	to be able to (we can)
poderoso(a)	powerful
podría	could be
pollo, el	chicken
polvo, el	dust
polvorieto(a)	dusty
pomada, la	pomade (hair gel)
poner	to put
Ponte ___.	*Put on your ___.*
popotes, los	straws
por supuesto	*of course*
por ejemplo	*for example*
por eso	*for this/that reason*
por favor	please
por	times (multiplication)
por	for
porque	because
¿Por qué?	*Why?*
portarse	to behave
practicar	to practice
precio, el	price
pregunta, la	question
prender	to turn on
preocupado(a)	concerned, worried
preparado(a)	prepared
presidente, el/la	presidente
primavera, la	spring, springtime
primero(a)	first
primo, el	cousin
princesa, la	princess
príncipe, el	prince
probablemente	probably
problema, el	problem
profesional	professional
programa, el	program
propio(a)	own
próximo(a)	next
proyecto, el	project

Prueba (from verb "probar")	to try, to sample (Try one)
público, el	public, audience
pueblo, el	town
puedes (from verb *"poder"*)	can (as in "you can...")
puedo (from verb *"poder"*)	can (as in "I can...")
pues	well
puma, la	female cougar
pupitre, el	student desk
puro(a)	purely, only

Q

que	that
¿Qué?	*What?*
¡Qué bueno!	*That's good!*
¡Qué feo!	*How ugly! How nasty!*
¡Qué lástima!	*What a shame!*
¡Qué lindo!	*How lovely!*
¡Qué mala suerte!	*What bad luck!*
¿Qué pasa?	*What's happening?*
¡Qué raro!	*How odd! How strange!*
¡Qué rico!	*How delicious!*
¡Qué ridículo!	*That's ridiculous!*
¡Qué triste!	*How sad!*
¿Qué tal ___?	*How about ___?*
¿Qué vamos a hacer?	*What are we going to do?*
¿Qué voy a hacer?	*What am I going to do?*
quebrado(a)	broken
quedarse	to stay
queremos	(we) love or (we) want to
querido(a)	dear
queso, el	cheese
¿Quién?	*Who?*
¿Quién sabe?	*Who knows?*
quiere (from verb *"querer"*)	(he/she/you) wants or loves
quieren (from verb *"querer"*)	they want
quiero (from verb *"querer"*)	(I) love or want
Quiero presentar a ___	*I want to introduce ____.*
quieto(a)	quiet, silent
quince	fifteen
Quisiera...	*I would like...*
quitar	to take away
quizás	maybe, perhaps

R

racimo, el	bunch, cluster
rana, la	frog
rápido	quickly
raro(a)	strange, odd
ratoncito, el	mouse
realizar	to fulfill
receta, la	recipe
recordar	to remember
redondo(a0	round
refrigerador, el	refrigerator
regalo, el	gift
regla, la	ruler
relato, el	story
relleno(a)	stuffed
reloj despertador, el	alarm clock
reloj, el	clock, watch
reparación, la	repair
repito (from verb *"repetir"*)	to repeat
reporte, el	report
reportero, el	reporter
representar	to represent
resfriada, la	cold (the illness)
restaurante, el	restaurant
resto, el	rest
rico(a)	rich, delicious
riman (from verb *"rimar"*)	to rhyme
río, el	river
roble, el	oak
rodilla, la	knee
rojo(a)	red
ropa, la	clothing
rosado(a)	pink
rosas, las	roses
rubíes, los	rubies
rubio(a)	blonde

S

sábado, el	Saturday
sabe (from verb *"saber"*)	to know (something)
¿Sabes qué?	*You know what?*
sabor, el	flavor, taste
sal, la	salt
sala, la	living room
salchicha, la	sausage
salir	to leave
salón, el	meeting room
salsa de tomate, la	ketchup
sandalias, las	sandals
saxofón, el	saxophone
se cae (from verb *"caerse"*)	to fall
se mueve	(it) moves

se cayó (from verb *"caerse"*)	he/she/it fell down
se sientan	(they) sit
se acuestan	(they) lie down
sé (from verb "saber")	to know
sed, la	thirst
segundo, el	second
seis	six
selección, la	selection
semana, la	week
Semana Santa, la	Easter Week
senil	senile
señor (Sr.)	Mr.
Señora (Sra.)	Mrs.
septiembre	September
serio(a)	serious
Sí.	Yes.
siempre	always
Siéntate.	*Sit down.*
siete	seven
siguiente	next
silencio, el	silence
silencioso(a)	quiet
silla, la	chair
sillón, el	easy chair, armchair
simpático(a)	nice, delightful
sin	without
sobre	on top of
sol, el	sun
solamente	only
solo(a)	alone
sólo(a)	just one, alone
sombrero, el	hat
somos (from verb *"ser"*)	to be (we are)
son (from verb *"ser"*) are	(as in "they are")
sonrisas, las	smiles
sopa, la	soup
soplan (from verb *"soplar"*)	to blow (they/you all blow)
sordo(a)	deaf
sorpresa, la	surprise
soy (from verb *"ser"*)	to be (I am)
suave	soft
subimos (from verb *"subir"*)	to climb
sucio(a)	dirty
sudadera, la	sweatshirt
sudor, el	sweat (noun)
sueños, los	dreams
suéter, el	sweater
suficiente	sufficient
sus	their, your (plural)

T

tamaño, el	size
también	too, also
tampoco	either
tan	so
tanto(a)	so much, so many
tarde, la	afternoon
tarde	late
tarea, la	homework
té, el	tea
teatro, el	theater
techo, el	roof
tela, la	fabric
teléfono cellular, el	cell phone
televisión, la	television
televisor, el	televsión set
temperatura, la	temperature
temprano	early
tenemos (from verb *"tener"*)	to have (we have)
¡Tenemos mucha suerte!	*We're very lucky!*
tener	to have
tengo (from verb *"tener"*)	to have
Tengo que...	*I have to...*
Tengo comezón.	*I have an itch.*
Tengo sed./ Tienes sed.	*I'm thirsty./You're thirsty.*
Tengo dolor./Tienes dolor.	*I'm in pain./You're in pain.*
Tengo calor. /Tienes calor.	*I'm hungry. / You're hungry.*
Tengo sueño./Tienes sueño.	*I'm sleepy./ You're sleepy.*
Tengo miedo.	*I'm frightened.*
Tengo hambre.	*I'm hungry.*
Tienes hambre.	*You're hungry*
Tengo frío./ Tienes frío.	*I'm cold. / You're cold.*
terminé	(I) finished
terremoto, el	earthquake
tesoro, el	treasure
tía, la	aunt
tiempo, el	weather
tienda, la	store
tiene (from verb *"tener"*)	to have
tienen (from verb *"tener"*)	have (they, or you all have)
Tienes razón.	*You're right.*
tigre, el	tiger
tímido(a)	timid,shy
tío, el	uncle
tiré (from verb "tirar")	to throw
toalla, la	towel

tocar	to touch, to play an instrument
tocino, el	bacon
todavía	still
todo el mundo	*everyone*
todo(a)	all
Toma ___	*Take* ___
tomar	to take
tomates, los	tomatoes
tonto(a)	silly
torcido(a)	twisted, sprained
tornados, los	tornados
trabajar	to work
Tráemela.	*Bring it to me.*
traeré	I will bring
tráfico, el	traffic
traje de baño, el	bathing suit
trajecitos, los	little suits, costumes
trece	thirteen
tres	three
trombón, el	trombone
tú	you, your
tulipanes, los	tulips
U	
último(a)	last, final
un rato	awhile
un poco/una poca	a little, a bit of
único(a)	unique
universo, el	universe
uno/una	one
unos(as)	some
Usa (from verb "usar")	*Use* ___.
usado(a)	used
usted	you (formal)
ustedes	you (plural)
usualmente	usually
uvas, las	grapes
V	
vaca, la	cow
vainilla, la	vanilla
valiente	brave
¡Vámonos!	*Let's go!*
Vamos a...	*Let's...*
vaqueros, los	cowboys

vaso, el	cup, glass
vecinos, los	neighbors
vegetales	vegetables
veinte	twenty
Ven acá.	Come here.
vender	to sell
Vengan a...	*Come to...*
venir	to come
venta de garaje, la	garage sale
ventana, la	window
veo (from verb *"ver"*)	to see (I see)
verano, el	summer
verdad, la	truth
verde	green
ves (from verb *"ver"*)	to see (you see)
vestido, el	dress
Vete.	Go away.
veterinario, el	veterinarian
vez (la próxima vez)	the next time
viaje por el mar, el	cruise
viaje, el	trip
víbora, la	snake
video, el	video
viejo(a)	old
viene (from verb *"venir"*)	to come
viento, el	wind
viernes, el	Friday
vitamines, los	vitamins
viven (from verb "vivir")	to live (they live)
vivo (fr. verb "vivir")	(I) live, (I) live in
voces, las	voices
vomitar	to vomit
vuelas (from verb *"volar"*)	to fly (you fly)
Y	
y	and
ya	anymore, already
yo	I
Z	
zanahorias, las	carrots
zapatos, los	shoes
zoológico, el	zoo

Notas/Notes